# DOMINIO

## Curso de perfeccionamiento

### Nivel C


Dolores Gálvez
Natividad Gálvez
Leonor Quintana

GRUPO DIDASCALIA, S.A.
Plaza Ciudad de Salta, 3 - 28043 MADRID - (ESPAÑA)
TEL.: (34) 914.165.511 - (34) 915.106.710
FAX: (34) 914.165.411
e-mail: edelsa@edelsa.es - www.edelsa.es

Primera edición: 2016
Edelsa Grupo Didascalia, S.A. Madrid, 2016.

Autoras: Dolores Gálvez, Natividad Gálvez, Leonor Quintana.

Dirección y coordinación editorial: Departamento de Edición de Edelsa.
Diseño de cubierta: Departamento de Imagen de Edelsa.
Diseño y maquetación interior: Amelia Fernández Valledor.

Imprime: EGEDSA

ISBN: 978-84-9081-603-5
Depósito legal: M-4859-2016

Impreso en España/*Printed in Spain*

Fuentes, créditos y agradecimientos:
Archivo de Edelsa Grupo Didascalia, S.A.
Archivo fotográfico http://www.es.123rf.com
Patricia Mirón, pág. 93
María José González, pág. 103

# PRÓLOGO

Estamos firmemente convencidas de que la clave del éxito en el aprendizaje de una segunda lengua reside fundamentalmente en la propia capacidad y motivación del alumno. Después, en la labor del profesor, incentivando y encauzando el proceso del que el alumno es protagonista indiscutible; «una lengua no se enseña, se aprende». Solo a continuación mencionaríamos la importancia del libro utilizado en clase.

*¿Por qué escribir un libro entonces, habiendo ya tantos en el mercado?*

Pues precisamente por eso. Afortunadamente, hoy día hay muchísimo material disponible, para el profesor y para el alumno. Tanto, que se hace prácticamente imposible conocerlo todo y realizar una selección conforme a nuestros gustos y objetivos. Partimos de la base de que el libro perfecto no existe o, si existe, no es solamente uno, sino que todos los métodos aportan algo. Y, si bien creemos que la enseñanza debe estar centrada en el alumno como persona, pensamos que el libro ideal es aquel que a un profesor concreto le hace sentirse a gusto utilizándolo en clase.

En nuestro caso, nos hemos puesto manos a la obra pensando qué material nos gustaría utilizar en nuestras clases y sin partir de ningún enfoque concreto o, si acaso, ecléctico. Nuestro fin es proporcionar un instrumento —que no el único— que ayude a perfeccionar y consolidar el conocimiento del español del estudiante de nivel C. Así, *Dominio, Curso de Perfeccionamiento* se dirige a un público —en su mayoría adultos— que ya dispone de una sólida base, conoce las estructuras básicas del idioma y es capaz de desenvolverse en todos los ámbitos de la vida cotidiana. Pensamos que, a menudo, es aquí donde se produce una cierta sensación en el estudiante de que no progresa o, al menos, no en la medida que desearía. En este estadio es esencial que se involucre conscientemente en su propio proceso de aprendizaje para que pueda producirse el necesario salto cualitativo, se encuentre o no el estudiante en estado de inmersión.

*¿Qué puede aportar el libro entonces?*

Pretendemos que sea un incentivo para que los estudiantes expresen su propio pensamiento en español.

**Esquema de las unidades:**

**Comprensión lectora:** contiene una serie de textos literarios que presentan la realidad de España e Hispanoamérica.

- *Enriquece tu léxico*: el vocabulario del español es inmensamente rico y el verdadero caballo de batalla en este nivel, por lo cual consideramos de gran importancia todo lo referente a la adquisición de léxico.

**Comprensión auditiva:** recoge temas que provienen de diferentes medios de comunicación y que presentan un enfoque original además de aportar una nueva perspectiva. Las actividades de explotación que se proponen son similares a las del DELE C1 y C2.

**Competencia gramatical:** hemos dividido los contenidos gramaticales en dos grupos:

- *Contenidos específicos*: en cada unidad hay un tema principal presentado de manera esquemática y sobre el que se ofrece un completo resumen al final de la propia unidad.
- *Contenidos generales*: donde se tratan cuestiones que, en nuestra experiencia, son difíciles de captar por el hablante no nativo.

**Expresión e interacción escritas:** tanto la expresión como la interacción escrita son parte esencial de la competencia que tiene que desarrollar un estudiante en los diferentes ámbitos como ser humano. Se ha intentado, por tanto, recoger aquellas necesidades del estudiante y darle herramientas para que pueda llevar a cabo las tareas encomendadas con fluidez y confianza.

**Expresión e interacción orales:** no por mencionarlo en el último lugar hemos concedido menos importancia a la expresión e interacción oral. Los temas de este apartado pretenden simular situaciones de la vida cotidiana en las que el estudiante se verá obligado a interactuar.

Para terminar, queremos agradecer a la editorial EDELSA, Grupo Didascalia, la confianza depositada en nosotras, y— por supuesto— a todos ustedes por su indudable interés en la enseñanza del español.

*Las autoras*

# Índice de contenidos

# Unidad 1

## COMPRENSIÓN LECTORA

**Julio Cortázar:** *Continuidad de los parques*

- **Más de cerca:** actividades y estrategias de control de la comprensión.
- **Enriquece tu léxico:** actividades y estrategias de ampliación del vocabulario.

## COMPRENSIÓN AUDITIVA

**Conferencia:** *La sabiduría popular*

- Tareas y estrategias de control de la comprensión.

## COMPETENCIA GRAMATICAL

**Contenidos específicos**

- Oraciones sustantivas.

**Contenidos generales**

- Tiempos y modos verbales.
- Contraste *ser/estar*.
- Preposiciones.
- Completa con las expresiones adecuadas.

**Algo más**

- Uso de *pero, sino, si no, sino que*.

## EXPRESIÓN E INTERACCIÓN ESCRITAS

**Escribir al jefe de personal**

- Expresar sorpresa, malestar y pedir explicaciones.

**Redactar un texto de opinión**

- *¿Dónde empieza y acaba la libertad de uno?*

## EXPRESIÓN E INTERACCIÓN ORALES

**La lengua nuestra de cada día**

- Expresiones, refranes y frases hechas.

**Hablando se entiende la gente**

- **Exposición oral:** *Energía nuclear... ¿sí o no?*

## RESUMEN GRAMATICAL

- Oraciones sustantivas.

# COMPRENSIÓN LECTORA

## Julio Cortázar

VIDA Y OBRA

Escritor, traductor e intelectual argentino (Bruselas, 1914). A los cuatro años fue a Argentina donde realizó estudios de Letras y Magisterio y trabajó como docente. En 1951 viajó a París con una beca donde fijó su residencia y desde donde desarrolló una obra literaria única dentro de la lengua castellana.

Cortázar es una de las grandes figuras de la literatura hispanoamericana del siglo XX. Su nombre se colocó al mismo nivel que el de G. García Márquez, M. Vargas Llosa, J. Rulfo o J. L. Borges. Es considerado uno de los autores más innovadores de su tiempo, maestro del relato corto, la prosa poética y la narración breve. Su obra transita entre lo real y lo fantástico. Algunos de sus cuentos se encuentran entre los más perfectos de su género. Su obra más conocida, *Rayuela* (1963), marcó un hito dentro de la narrativa contemporánea por su originalidad.

Es autor, además, de *Los premios*; *62 Modelo para armar*, *El libro de Manuel*. En prosa breve destacan *El libro de cronopios y famas* y *Un tal Lucas*.

Como parte de su obra, hay que mencionar *Bestiario*; *Final del juego* (donde está incluido *Continuidad de los parques*); *Las armas secretas*; *Todos los fuegos, el fuego*.

Muere en París en 1984.

### Continuidad de los parques

Había empezado a leer la novela unos días antes. La abandonó por negocios urgentes, volvió a abrirla cuando regresaba en tren a la finca; se dejaba interesar lentamente por la trama, por el dibujo de los personajes. Esa tarde, después de escribir una carta a su apoderado y discutir con el mayordomo una cuestión de aparcerías, volvió al libro en la tranquilidad del estudio que miraba hacia el parque de los robles. Arrellanado en su sillón favorito, de espaldas a la puerta que lo hubiera molestado como una irritante posibilidad de intrusiones, dejó que su mano izquierda acariciara una y otra vez el terciopelo verde y se puso a leer los últimos capítulos. Su memoria retenía sin esfuerzo los nombres y las imágenes de los protagonistas, la ilusión novelesca le ganó casi enseguida. Gozaba del placer perverso de irse desgajando línea a línea de lo que lo rodeaba, y sentir a la vez que su cabeza descansaba cómodamente en el terciopelo del alto respaldo, que los cigarrillos seguían al alcance de la mano, que más allá de los ventanales danzaba el aire del atardecer bajo los robles.

Palabra a palabra absorbido por la sórdida disyuntiva de los héroes, dejándose ir hacia las imágenes que se concertaban y adquirían color y movimiento, fue testigo del último encuentro en la cabaña del monte. Primero entraba la mujer, recelosa, ahora llegaba el amante, lastimada la cara por el chicotazo de una rama. Admirablemente restañaba ella la sangre con sus besos, pero él rechazaba las caricias, no había venido para repetir las ceremonias de una pasión secreta, protegida por un mundo de hojas secas y senderos furtivos. El puñal se entibiaba contra su pecho, y debajo latía la libertad agazapada. Un diálogo anhelante corría por las páginas como un arroyo de serpientes y se sentía que todo estaba decidido desde siempre. Hasta esas caricias que enredaban el cuerpo del amante como queriendo retenerlo y disuadirlo dibujaban abominablemente la figura de otro cuerpo que era necesario destruir. Nada había sido olvidado: coartadas, azares, posibles errores. A partir de esa hora cada instante tenía su empleo minuciosamente atribuido. El

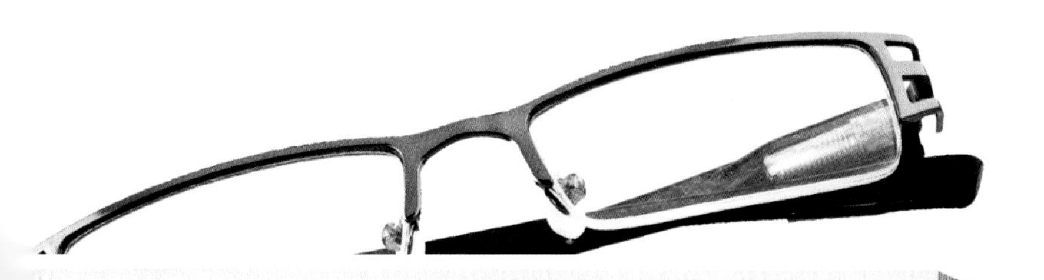

ruthless

-oble repaso despiadado se interrumpía apenas para que una ıano acariciara una mejilla. Empezaba a anochecer.

Sin mirarse ya, atados rígidamente a la tarea que los esperaa, se separaron en la puerta de la cabaña. Ella debía seguir por ı senda que iba al norte. Desde la senda opuesta él se volvió 40 n instante para verla correr con el pelo suelto. Corrió a su vez, arapetándose en los árboles y los setos hasta distinguir en la ruma malva del crepúsculo la alameda que llevaba a la casa. .os perros no debían ladrar, y no ladraron. El mayordomo no staría a esa hora en casa, y no estaba. Subió los tres peldaños 45 el porche y entró. Desde la sangre galopando en sus oídos e llegaban las palabras de la mujer: primero una sala azul, lespués una galería, una escalera alfombrada. En lo alto dos uertas. Nadie en la primera habitación, nadie en la segunda. .a puerta del salón, y entonces el puñal en la mano, la luz de 50 os ventanales, el alto respaldo de un sillón de terciopelo verde, a cabeza del hombre en el sillón leyendo una novela.

Cortázar, J.: *Final del juego*

→ The dagger warmed up

## Más de cerca

### 1 Señala si es verdadero (V) o falso (F) según lo que escribe el autor en el texto.

| | V | F |
|---|---|---|
| 1. Tras realizar varios trabajos, el lector se acomoda en su sillón para dar fin a la novela que tenía delante. | ☑ | ☐ |
| 2. El lector se sumergió tanto en la historia que se sintió protagonista de ella. | ☐ | ☑ |
| 3. El lector vivió el último encuentro de los protagonistas como si hubiera estado presente. | ☑ | ☐ |
| 4. El puñal significa la libertad para los amantes. | ☐ | ☑ |
| 5. El protagonista de la novela va ser la víctima de un asesinato. | ☑ | ☐ |

### 2 Elige la opción correcta.

1. **Los jóvenes amantes…**
   a. se separan en la puerta de la cabaña y cada uno sigue por un camino distinto.
   (b.) al separarse van escondiéndose uno del otro tras los setos.
   c. tienen remordimientos de conciencia por el acto que van a cometer.

2. **El amante ha ido a la cabaña para…**
   (a.) recoger el puñal.
   b. despedirse de la chica.
   c. repasar el plan que tenían.

### 3 Escribe una reseña literaria.

1. **Participas en un curso sobre Cortázar en el que habéis leído el texto anterior.**
   ▶ Resume en una línea la trama del texto.
   ▶ Haz un retrato descriptivo del lector (físico y carácter). Justifica tu respuesta aludiendo al texto.
   ▶ Describe detalladamente qué relación tienen los amantes con el lector de la novela.

2. **Redacta un final para esta historia.**

## Enriquece tu léxico

**1** Relaciona las palabras del texto con sus sinónimos.

1. trama
2. arrellanarse
3. irritante
4. intrusión
5. gozar
6. perverso
7. sórdido
8. disyuntiva
9. concertar
10. receloso
11. restañar
12. furtivo
13. agazaparse
14. anhelar
15. disuadir
16. coartada
17. atado
18. bruma
19. crepúsculo
20. porche

a. enojoso
b. acordar
c. contener
d. argumento
e. atrio
f. disfrutar
g. desconfiado
h. ocaso
i. apoltronarse
j. unido
k. niebla
l. ruin
m. intromisión
n. oculto
ñ. esconderse
o. desear
p. subterfugio
q. malvado
r. alternativa
s. convencer

**2** Encuentra el antónimo.

1. gozar
2. sórdido
3. receloso
4. rechazar
5. urgencia
6. furtivamente
7. entibiarse
8. retener
9. disuadir
10. separarse

a. confiado
b. animar
c. sufrir
d. abiertamente
e. juntarse
f. decente
g. aceptar
h. parsimonia
i. liberar
j. enfriarse

**¿Y tú?**

- Ya conoces la palabra *trama*, pero ¿qué significa el verbo *tramar*? ¿Qué se puede tramar?
- ¿Cómo definirías a una persona perversa?
- ¿Qué acciones consideras irritantes? ¿Y perversas?
- ¿En qué casos eres desconfiado?

REAL ACADEMIA ESPAÑOLA

Diccionario de la lengua española

**3** ¿Qué sentido tienen estos términos en el texto de Cortázar? Elige la opción correcta.

**Arrellanarse**
1. prnl. Ensancharse y extenderse en el asiento con toda comodidad.
2. prnl. Encontrarse a gusto en un lugar o empleo.

**Concertar**
1. tr. Componer, ordenar o arreglar las parte de una o varias cosas.
2. tr. Pactar, ajustar, tratar un negocio. U. t. c. prnl.

**4** **Completa cada frase con uno de los siguientes términos. Haz las transformaciones necesarias.**

trama ■ intrusión ■ apoltronarse ■ receloso ■ finca ■ irritar ■ coartada
agazaparse ■ sendero ■ arroyo ■ acariciar ■ bruma ■ anhelar ■ latir
rechazar ■ disuasorio ■ novelesco ■ desgajar ■ disyuntiva ■ amante

1. Cuando le interrogaron, presentó una ............................ que creía perfecta, pero se equivocaba, se olvidó de un detalle importante.
2. Durante la Guerra Fría, tanto EE.UU. como la Unión Soviética invertían mucho en armas ............................ .
3. Es muy rico, posee infinidad de ............................, unas heredadas de sus padres y otras de sus tíos.
4. Aunque los Martínez le aseguraron que no se preocupara porque pronto le devolverían el préstamo, él seguía ............................ porque no era gente de mucho fiar.
5. Las historias de amor de Vicente se pueden calificar de ............................ porque son muy originales.
6. El gato tiene un instinto cazador muy fuerte, cuando ve una paloma en el balcón ............................ tras las macetas esperando la oportunidad para atacar.
7. Cada vez que tenía que ir al doctor, mi corazón ............................ aceleradamente.
8. Se queja de que está gordo y no adelgaza, pero es que se pasa el día ............................ el sillón.
9. Esperaban con ............................ la llegada de su hijo de Japón, pues hacía dos años que no lo veían.
10. Mi gato Saichef empieza a ronronear fuertemente cuando alguien lo ............................ .
11. Lo que más nos ............................ de Carlos es su prepotencia.
12. El viento soplaba tan fuertemente que ............................ las ramas de los árboles.
13. Le gustaba pasear en invierno por el bosque cuando la ............................ era tan intensa que se sentía transportado a un mundo de fantasía.
14. La ............................ profesional, como todos sabemos, está castigada por el Código Penal.
15. Estaba tramando con su ............................ escaparse donde no pudieran encontrarlos fácilmente.
16. Continuamente ............................ todas las ofertas de trabajo que se le hacían, prefería seguir viviendo a costa de sus padres.
17. Nos encontramos ante una ............................: o continuamos aquí y aceptamos sus condiciones o nos marchamos de la empresa.
18. Nos adentramos en el bosque por un ............................ que no sabíamos adónde nos conduciría.
19. Cuando éramos niños, nuestros padres nos llevaban todos los domingos a merendar al ............................
20. Al empezar a leer la novela te parece aburrida, pero conforme vas llegando a la ............................ se hace cada vez más interesante.

**5** **Estas definiciones se refieren a términos de los ejercicios 1 y 2. ¿De qué términos se trata? Escribe un ejemplo con cada uno.**

1. Persona desconfiada que siente temor ante lo que sospecha que puede ocultar algún peligro.
2. Convencer a alguien para que desista de hacer cierta cosa.
3. Acción de introducirse sin derecho en una actividad o en una propiedad.
4. Hacer algo a escondidas.

# COMPRENSIÓN AUDITIVA

# La sabiduría popular

Pista 1

Audio descargable en tuaulavirtual www.edelsa.es

DELE Actividades de ayuda para la preparación del DELE.

**1** Vas a escuchar una conferencia sobre algunas cuestiones relacionadas con el melón. Después, redacta un texto expositivo (150 palabras) con los puntos principales y expresa tu opinión al respecto.

**2** Vuelve a escuchar el texto y completa estas anotaciones que se han tomado con cuatro de las diez opciones que te damos.

| | |
|---|---|
| a. la ingesta excesiva | f. la rentabilidad del cultivo |
| b. consecuencias dañinas | g. científicamente |
| c. su composición | h. puede provocar cólicos |
| d. puede ser perjudicial | i. su porcentaje de grasas |
| e. la ciencia médica | j. la facilidad de consumo |

1. ............................., hoy en día, no es fácil demostrar algunas de las afirmaciones de los refranes populares.
2. El que sea una fruta muy adecuada para perder peso se debe a .............................
3. ............................. del melón es lo que ha podido propiciar su mala fama, pues ello ha favorecido que se haya consumido abundantemente.
4. A largo plazo, abusar de cualquier alimento ......................... .

**3** ¿Lo has entendido bien? Elige la opción correcta.

El melón...

**1**
a. es una fruta muy sabrosa.
b. contiene menos proteínas que grasas.
c. contiene más grasas que hidratos de carbono.

**2**
a. a veces resulta algo indigesto.
b. si se abusa de él, la digestión es muy exagerada.
c. es un buen complemento en las dietas.

**3**
a. cuando la vida era muy cara, se comía en cantidades excesivas.
b. contiene gran cantidad de agua y por eso nos mantiene inapetentes durante mucho tiempo.
c. en ningún caso es responsable de cólicos.

# COMPETENCIA GRAMATICAL

## 1 Oraciones sustantivas

**Completa las oraciones sustantivas del texto con los verbos entre paréntesis en el tiempo y modo adecuados.**

### Crisis conyugal

Estoy harta de que (*aprovecharse, tú*) (1) .................. de mí. Tú solo quieres que te (*lavar*) (2) .................. y te (*planchar*) (3) .................. la ropa y te (*preparar*) (4) .................. la comida, pero yo no soy tu criada. ¿Te parece justo que tú (*irse*) (5) .................. todos los días de juerga con tus amigotes y yo (*quedarse*) (6) .................. en casa esperándote? Eso se acabó. No estoy dispuesta a (*seguir*) (7) .................. así toda mi vida. Razón tenía mi madre cuando me decía que no (*casarse, yo*) (8) .................. contigo. Pero yo no me imaginaba que nuestra relación (*ir*) (9) .................. a cambiar tanto después de la boda.
Al principio no me di cuenta de lo egoísta que (*ser, tú*) (10) .................. . Me molestaba, claro, que (*pasar, tú*) (11) .................. tanto tiempo fuera de casa, pero quería (*pensar*) (12) .................. que era algo natural que (*conservar, tú*) (13) .................. tus amistades de soltero y no quería (*obligar, a ti*) (14) .................. a (*aburrirse, tú*) (15) .................. en casa conmigo todo el tiempo. Pensaba que (*agradecer, tú*) (16) .................. que (*ser, yo*) (17) .................. tan liberal y comprensiva, y que eso (*ser*) (18) .................. lo mejor para nuestra relación. ¡Qué ingenua!
No me extraña que (*sorprenderse, tú*) (19) .................. y te (*parecer*) (20) .................. una reacción exagerada que (*pedir, yo*) (21) .................. el divorcio. Claro, es muy cómodo que te (*cuidar*) (22) .................. y te (*mimar*) (23) .................. sin ofrecer nada a cambio. Seguro que no crees que (*ir, yo*) (24) .................. a hacerlo. Te equivocas. He hablado con mi madre y me ha aconsejado que (*dirigirse, yo*) (25) .................. a un abogado sin pérdida de tiempo. Me ha dicho que (*ser*) (26) .................. mejor que (*dejar, a ti*) (27) .................. esta nota y que no (*hablar*) (28) .................. contigo. Quiere (*pasar*) (29) .................. a recogerme y que (*ir*) (30) .................. a su casa hoy mismo.
Espero que no (*llegar, tú*) (31) .................. hoy muy tarde. He preparado un plato que creo que te (*gustar*) (32) .................. . Lo único que hay que hacer es (*calentar*) (33) .................. en el microondas. No pienses que (*ser, yo*) (34) .................. capaz de dejarte sin cena, aunque preferiría que (*cenar, nosotros*) (35) .................. juntos. ¡Ah, el teléfono de mamá está apuntado en la agenda en la repisa de la entrada!

## 2 Termina estas oraciones sustantivas.

1. El médico aconsejó a Luis ..................
2. La policía impidió que los ladrones ..................
3. Necesitaríamos que nuestros políticos ..................
4. Las autoridades recomiendan ..................
5. En aquel mismo momento nos dimos cuenta de ..................
6. Todas las ONG que estaban allí lamentaron ..................
7. Es evidente que la mayoría de los ciudadanos ..................
8. Es bueno que la enseñanza ..................
9. No es normal que las relaciones entre ambos países ..................
10. No es razonable que nuestros mayores ..................

## 3 Indicativo o subjuntivo

**Completa el texto con los tiempos y modos adecuados.**

### Prejuicios

Por lo menos (*transcurrir*) (1) .................. quince años sin que Ignacio (*saber*) (2) .................. nada de Martín o de Alonso. Nada, de modo directo, claro, ya que indirectamente le (*llegar*) (3) .................. esporádicas referencias. Así que (*encontrarse, ellos*) (4) .................. en el aeropuerto de Carrasco. Ellos (*llegar*) (5) .................. de Santiago de Chile, él (*partir*) (6) .................. hacia Porte Alegre. (*Ser*) (7) .................. todo un acontecimiento. Apenas (*tener, ellos*) (8) .................. diez minutos para reconocerse (a duras penas, debido a la actual espesa barba de Ignacio, la vertiginosa calvicie de Martín, el respetable abdomen de Alfonso), (*abrazarse*) (9) .................., (*ponerse*) (10) .................. sumariamente al día.

Martín (*estar*) (11) .................. casado por segunda vez, Alfonso (*enviudar*) (12) .................., Ignacio (*mantenerse*) (13) .................. incólume en su soltería. (*Dejar, ellos*) (14) .................. expresa constancia de la triple voluntad de encontrarse cuanto antes e (*intercambiar*) (15) .................. rápidamente tarjetas, con teléfonos y domicilios.

Luego, durante el vuelo, Ignacio (*ir*) (16) .................. repasando sus recuerdos. Esos dos, y también Javier, hoy catedrático en Ciudad de México, (*constituir*) (17) .................. su «barra», su clan de inseparables, primero en el colegio de la Sagrada Familia, después en el liceo Elbio Fernández, y poco más. De pronto, casi sin advertirlo, cada uno (*empezar*) (18) .................. a seguir su rumbo propio.

Javier (*ser*) (19) .................. el primero en desaparecer: (*emigrar*) (20) .................. a México con sus padres y allí (*concluir*) (21) .................. su doctorado y (*casarse*) (22) .................. con una guatemalteca. Ignacio (*recibirse*) (23) .................. de escribano. Alfonso (*llegar*) (24) .................. hasta tercero de Medicina pero luego, a la muerte de su padre, (*hacerse*) (25) .................. cargo de la estancia en Soriano y solo (*bajar*) (26) .................. a Montevideo tres o cuatro veces al año. Martín, que (*parecer*) (27) .................. tan enclenque en su infancia, (*dedicarse*) (28) .................. al atletismo con bastante éxito, (*quedar*) (29) .................. a solo dos décimas del récord nacional en los 400 metros llanos, y después, ya metido en el mundo del fútbol, (*ser*) (30) .................. preparador físico de algún equipo local y varios del exterior, de modo que (*viajar*) (31) .................. constantemente, con residencias prolongadas en Colombia, Honduras y Chile.

Tras su regreso de Brasil, Ignacio (*dejar*) (32) .................. pasar un par de días y luego (*telefonear*) (33) .................. a Martín: (*quedar*) (34) .................. en encontrarse los tres en un restaurante del Puerto y allí escribir conjuntamente una postal que (*mandar*) (35) .................. al lejano Javier.

Ya en los postres, Martín (*dirigirse*) (36) .................. a Ignacio: «¿A que no te acordás del padre Arnáiz, el implacable de Matemáticas, cuando (*tener*) (37) .................. la ocurrencia de preguntarnos a los cuatro qué (*aspirar*) (38) .................. a ser cuando mayores?».

Alfonso (*cortar, a él*) (39) ..................: «Recuerdo que Javier (*decir*) (40) .................. que profesor, y lo es. Vos, Martín, (*decir*) (41) .................. que atleta, y lo fuiste. Yo dije que estanciero, y lo soy. Ya lo ves, Ignacio: fuiste el único que no (*cumplir*) (42) .................., ¡qué vergüenza!».

«Es cierto», dijo Ignacio con voz ronca. «No cumplí».

«¿Verdaderamente recordás lo que dijiste entonces?», preguntó Martín.

«Naturalmente. Son cosas que no se olvidan. Antropófago. Dije que (*querer*) (43) .................. ser antropófago».

Los otros (*soltar*) (44) .................. la risa y Alfonso (*inquirir*) (45) ..................: «¿Y? ¿Qué (*pasar*) (46) ..................?».

Ignacio (*resoplar*) (47) .................., incómodo: «Toda una frustración», (*decir*) (48) .................. entre dientes. «Somos una sociedad demasiado provinciana. Hay tantos prejuicios. Tantas inhibiciones».

Benedetti, M.: *Despistes y franquezas* (adaptado)

## 4 *¿Ser o estar?*

**Sustituye lo que está en cursiva por *ser* o *estar*. Haz las transformaciones necesarias.**

1. Este nuevo corte de pelo te *queda* muy bien.
2. *Residimos* durante cinco años en Buenos Aires porque mi marido *pertenece al* cuerpo diplomático.
3. *Se encuentra* muy preocupado por la enfermedad de su hijo, a pesar de que el médico le ha dicho que no *se trata de* nada grave.
4. El día 12 de octubre *se celebra* la fiesta nacional de España.
5. Mi padre quería que *llegáramos a* casa a las doce.
6. El ladrón entró en la casa tranquilamente porque los perros *se encontraban* atados.
7. El juicio *tuvo lugar* en una ciudad del norte de Argentina, llamada Salta.
8. Nunca *se ponen* de acuerdo cuando se trata de política.
9. El coche *lo he aparcado* en la calle Bolívar, esquina a José Martí.
10. Su familia *procede* de Oaxaca.

## 5 Preposiciones

**Completa con la preposición que falta.**

1. Cuando hablábamos ayer no me refería .............. Pedro, sino .............. Juan.
2. Alicia lleva una vida entera dedicada .............. cuerpo y alma .............. su marido; no ha sabido realizarse como persona.
3. Después de estar perdido más de media hora, al final vino .............. dar a la plaza del Ayuntamiento.
4. De golpe y porrazo y .............. motivo alguno salió de la sala hecho un basilisco.
5. Se puso .............. decir barbaridades y no había quien lo parara.
6. Cuando te dice que te quiere no está fingiendo, le sale .............. el alma.
7. Los cuatro años que María estuvo destinada .............. Argentina, nos dedicamos a recorrer todos los países del Cono Sur.
8. Pertenece a una ONG e interviene activamente en todo lo que le piden .............. contribuir con su granito de arena a mejorar el mundo.
9. Yo te he hablado de una manera muy correcta y espero lo mismo de ti; tienes que aprender a dialogar .............. ofender a nadie.
10. Se negaron .............. dejarnos pasar al club alegando que no llevábamos corbata.
11. Siempre nos queda la posibilidad de apelar .............. la Corte Suprema.
12. Tiene .............. costumbre regirse .............. sus instintos.
13. Dio .............. seguro que iríamos a verlo el fin de semana.
14. Si te obsesionas tan fácilmente .............. esas tonterías, terminarás sufriendo un infarto.
15. Me comentó que a lo único que aspiraba era .............. formar una familia y a vivir .............. sus libros.

## 6 Completa el diálogo con estas expresiones.

¡vale!, ¡vale! ■ quita, quita ■ ¡ay, Dios mío! ■ ¡ay, Dios mío! ■ ¡en fin!
encima ■ ¡huy! ■ bueno ■ anda ■ a ver si

*Alberto, Jaimito, Chusa y Elena comparten piso. Alberto es policía y ha dejado por unos momentos su servicio en la comisaría donde trabaja para ir a su casa. En eso, llega la madre de Alberto y se sorprende de encontrarlo allí a esa hora.*

Alberto: Me tengo que ir, no se den cuenta. Ya no creo que vengan, no sería aquí. Cualquier día me vais a meter en un lío entre todos... «¡Madero[1]!». (1) ............................

Jaimito: Espera, bajo contigo, así me tomo un café, que estoy en ayunas. Y no te mosquees que te mosqueas por nada últimamente.

Doña Antonia: Un café a la una, qué desbarajuste. Toma el bocadillo y estírate la camisa. Que vas hecho un cuadro.

Alberto: (2) ............................ . Hasta luego.

Doña Antonia: (3) ............................ ¡Qué hijos estos!

Elena: ¿Tiene usted más? ¿Más hijos?

Doña Antonia: ¡Te parece poco con este bala perdida[2]! (4) ............................ dadme una copa de coñac si tenéis por ahí, (5) ............................ se me quita el disgusto que tengo.

Chusa: Se acabó usted el último día la botella. Solo hay té. ¿Quiere té?

Doña Antonia: ¿Té? (6) ............................ . Yo solo tomo té cuando me duele la tripa. ¿Y tú quién eres? No te conocía.

Elena: Es que soy nueva. Soy Elena. Mucho gusto.

Doña Antonia: (7) ............................ Encantada, hija. Antonia del Campo, calle de la Sal, doce, bajo C. Allí tienes tu casa. (8) ............................ Otra infeliz que cayó en el vicio, con la cara de buena que tienes (9) ............................ (10) ............................ , me voy a echar un bingo. A ver si cojo un par de líneas por lo menos. A esta hora es cuando está mejor y más decente. Como está enfrente del mercado, solo señoras, amas de casa y alguna criada.

Alonso de Santos, J.L.: *Bajarse al moro*

1 *Madero: coloq:* policía.
2 *Bala perdida:* persona de poco juicio.

## Algo más

### pero, sino, si no, (el) sino

- Pero: conjunción adversativa de restricción parcial.
  *No es tonto, pero es muy vago.*
- Sino: conjunción adversativa de restricción total; solo en frases negativas.
  *No es tonto, sino vago.*
- Si no: locución condicional.
  *Si no llega a tiempo, se perderá la introducción a la conferencia.*
- (el) sino: sustantivo. Sinónimo de *destino.*
  *El sino de muchos de nosotros es vagar de país en país.*
- Otros usos
  *No quiere sino dormir.* > Solo quiere dormir.
  *No solo es inteligente, sino muy trabajadora también.* > Es inteligente y trabajadora.

## 7 *¿Pero, sino o si no?*
**Completa con la partícula adecuada.**

1. No hice muy mal el examen, .................................. no es seguro que apruebe.
2. No hice .................................. seguir tus indicaciones.
3. No te preocupes .................................. puedes venir.
4. De verdad, no es que no quiera, .................................. no puedo hacerlo.
5. Deberías venir con nosotros, ¿qué vas a hacer ..................................?
6. ¿Quién .................................. él puede pensar una cosa así?
7. Deberías invitar no solo a tus amigos, .................................. también a los compañeros del trabajo.
8. Sé que no es fácil, .................................. no debes desanimarte por ello.
9. Queríamos ir a la playa, .................................. amaneció nublado.
10. No solo llegó tarde al examen, .................................. además lo pillaron copiando.
11. Está visto que no es mi .................................. llegar a rico.
12. A veces no hieren las palabras, .................................. el tono de voz que empleamos.
13. No te dije que me lo compraras, .................................. miraras el precio.
14. ¡Qué le vamos a hacer!, es nuestro .................................. .
15. Me siento bien aquí, no solo por el clima, .................................. también por tu compañía.

## 8 Elige la opción correcta.

1. Esos chicos no solo cantan y bailan muy bien, ............... también eligen la música apropiada para cada ocasión.
   a. si no
   b. pero
   c. sino que

2. Diviértete, ............... ten cuidado con el coche.
   a. pero
   b. si no
   c. sino

3. Tendremos que madrugar, ............... nos quedaremos sin nada. Ya sabes que si vamos tarde los productos se acaban.
   a. sino
   b. si no
   c. pero

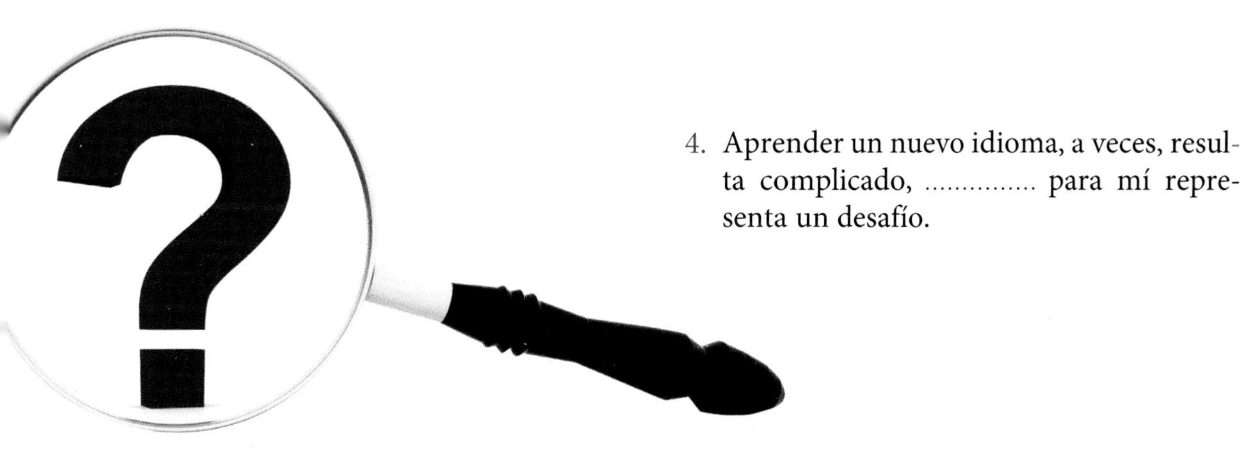

4. Aprender un nuevo idioma, a veces, resulta complicado, ............... para mí representa un desafío.
   a. sino
   b. pero
   c. si no

# EXPRESIÓN E INTERACCIÓN ESCRITAS

## Antes de nada

Una carta consta de tres partes:

- El encabezamiento
- El cuerpo
- El cierre y los complementos

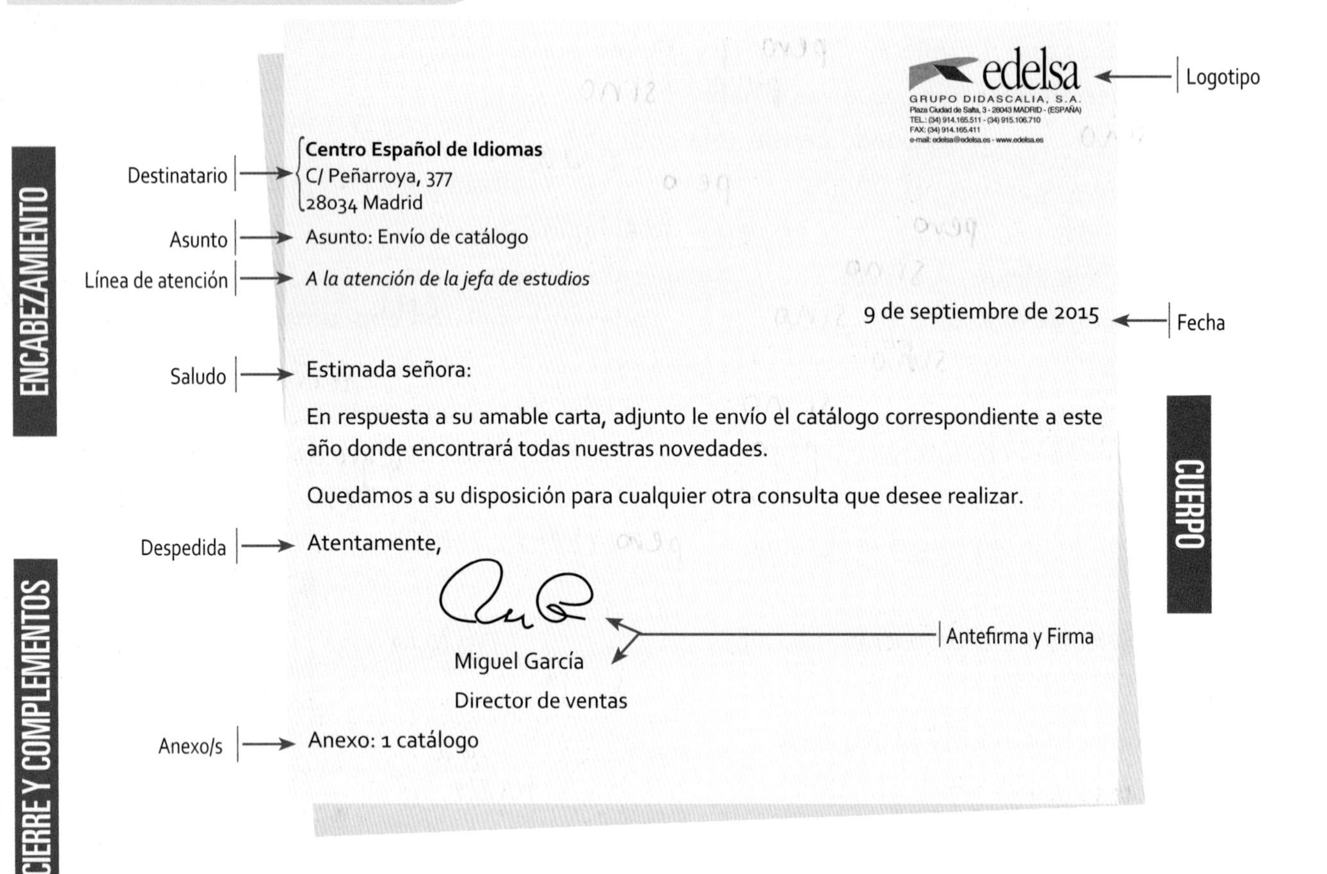

edelsa
GRUPO DIDASCALIA, S.A.
Plaza Ciudad de Salta, 3 - 28043 MADRID - (ESPAÑA)
TEL.: (34) 914.165.511 - (34) 915.106.710
FAX: (34) 914.165.411
e-mail: edelsa@edelsa.es - www.edelsa.es

**Centro Español de Idiomas**
C/ Peñarroya, 377
28034 Madrid

Asunto: Envío de catálogo

*A la atención de la jefa de estudios*

9 de septiembre de 2015

Estimada señora:

En respuesta a su amable carta, adjunto le envío el catálogo correspondiente a este año donde encontrará todas nuestras novedades.

Quedamos a su disposición para cualquier otra consulta que desee realizar.

Atentamente,

Miguel García
Director de ventas

Anexo: 1 catálogo



# Me rescinden el contrato: ¿qué hago?

## Escribe una carta al jefe de personal

- Trabajas para una compañía chilena en tu país. Habías firmado un contrato por dos años, pero sin previo aviso te lo han rescindido. Redacta una carta al jefe de personal en el tono y estilo adecuados. En la carta deberás:
  - Exponer los hechos.
  - Expresar tu sorpresa y malestar.
  - Pedir explicaciones por este hecho.
  - Recordarle lo que has aportado a la empresa.
  - Despedirte esperando una respuesta.

## Recursos

**Expresar malestar**
*Estoy totalmente indignado...*
*Me siento decepcionado...*
*Resulta decepcionante/indignante...*

**Pedir explicaciones**
*Le agradecería que me explicara...*
*Le rogaría que me dijera...*
*Le pediría que me diera una explicación...*
*¿Cómo se explica (el hecho) que...?*

**Expresar sorpresa**
*Me he quedado muy sorprendido...*
*Me ha sorprendido...*
*No me esperaba...*

# ¿Dónde empieza y acaba la libertad de uno?

Entre los argumentos que se alegan a favor de la despenalización de las drogas está, sin duda, el de la libertad de los ciudadanos. Entonces también habría que aceptar un derecho a suicidarse, a cometer violencias contra uno mismo y, por supuesto, un derecho a ser inmoral, alcohólico, toxicómano, perverso..., derecho que merece protección colectiva, siempre, por supuesto, que no se dañe a terceros.

Lamo de Espinosa, E.: *Por una cultura positiva de la droga* (adaptado)

## ·edacta un texto de opinión

- Después de leer el artículo anterior, escribe al director del periódico donde aparece el texto para dar tu opinión sobre el tema (150-200 palabras). En el texto deberás:
  - Mostrar claramente tu acuerdo o desacuerdo.
  - Dar ejemplos que apoyen tu punto de vista.
  - Matizar algunos aspectos que no te parezcan igual de importantes.
  - Reiterar tu opinión antes de despedirte.

## Recursos

**Presentar el tema:** *para comenzar, para empezar,* etc.
**Exponer el tema:** *me gustaría decir que, en primer lugar quiero decir, la verdad es que.*
**Expresar acuerdo o desacuerdo:** *estoy en contra, no es verdad que, no tiene sentido, estoy a favor de, es obvio que, sin duda alguna,* etc.
**Poner ejemplos:** *como por ejemplo, como se puede ver en, como se dice en,* etc.
**Enumerar argumentos:** *antes que nada, para empezar, por un lado/por otro, por una parte/por otra, en primer/segundo lugar,* etc.
**Conclusión y reflexión final:** *en resumen, para concluir, concluyendo, para terminar,* etc.

# EXPRESIÓN E INTERACCIÓN ORALES

# La lengua nuestra de cada día

## Cada oveja con su pareja

**1** **Relaciona las expresiones con su definición.**

1. Dar jabón a alguien.
2. Quedarse de una pieza.
3. Tener malas pulgas.
4. Ni corto ni perezoso.
5. Agarrarse a un clavo ardiendo.

a. No poder reaccionar por efecto de un susto, una fuerte emoción, etc.
b. Tener mal genio o mal carácter. Actuar con mala idea.
c. Valerse de cualquier medio para salir de una dificultad o peligro.
d. Adular a otra persona, generalmente para conseguir un beneficio.
e. Sin timidez ni vacilación alguna. Súbitamente.

## Un paso más

**2** **Completa el diálogo con una de las expresiones anteriores.**

■ ¿Sabes? El otro día me encontré con Juan, le pregunté por su novia porque no tenía ni idea de que lo habían dejado, y estuvo muy agresivo conmigo, ¡hay que ver qué (1) ............................ tiene este hombre!

❑ Pues yo, (2) ............................, le dije que la culpa de todo la tenía él, que había utilizado a la pobre chica para olvidar a su exmujer, pero que no estaba enamorado de ella, y que lo único que hacía era (3) ............................ para sacar el mayor beneficio de ella.

■ La verdad es que Isabelita, aquí entre nosotras, no lo pasó tan mal con él, viajes por aquí, por allá, los mejores hoteles, regalos caros... Fue a dar con uno de los que más dinero tienen, y ahora, (4) ............................ (a él) ............................ para no estar sola.

❑ Sí, sí, pero sufrió mucho al enterarse de que le estaba poniendo los cuernos con su exmujer, la pobre cuando se enteró (5) ............................ . ¡Qué le vamos a hacer, así es la vida!

## ¿A que no sabes?

**3** **¿Con qué otras expresiones identificarías estas imágenes? ¿Hay un equivalente en tu lengua?**

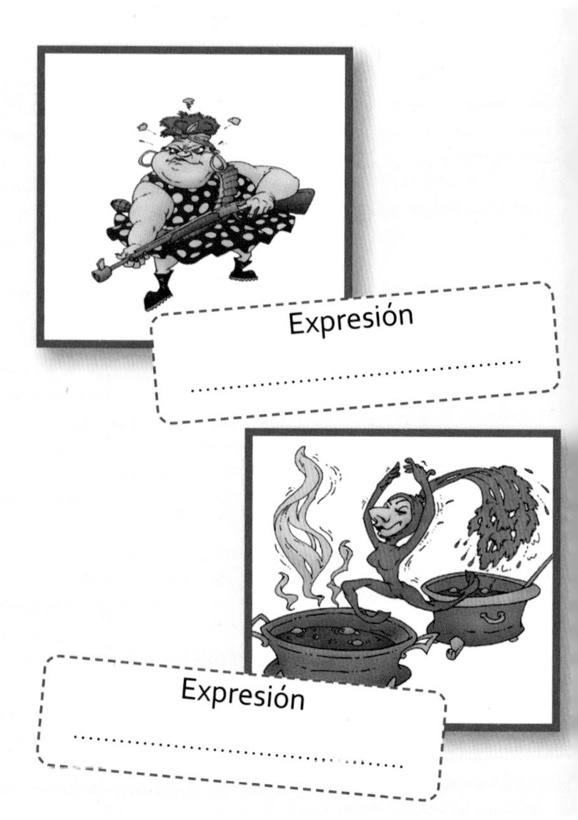


**Nota:** más expresiones en *Hablar por los codos*, Vranic, G.

# Hablando se entiende la gente

«Hay que recurrir a la energía nuclear. En países urbanos es absurdo intentar sacar la energía de los molinos de viento».

Lovelock, J.: *El País Semanal*

«James Lovelock, el científico que revolucionó las ciencias ambientales con su hipótesis Gaia, cree que la Humanidad se dirige a un desastre ecológico inevitable. Sigue defendiendo que la energía nuclear es la única forma realista de evitar el aumento del calentamiento global».

Brown, A.: *The Guardian*/*El Mundo*

## Prepara tu intervención

- Busca información sobre la energía nuclear y reflexiona al respecto.
  *www.foronuclear.org*/*www.mitosyfraudes.8k.com*

**Recursos**

**Comparar:** *igual de, tal/tales... como/cual, cuanto más/menos... (tanto) más/menos, es incomparable, es lo mismo que, a diferencia de,* etc.
**Expresar convicción:** *estoy totalmente convencido de que, no hay duda de que, tengo la convicción de que,* etc.
**Dar ejemplos:** *a modo de ejemplo, y así vemos que, si lo comparamos a,* etc.

**Adverbios:** *científicamente, personalmente, indudablemente, desgraciadamente,* etc.
**Aditivos:** *todavía más, más aún, encima,* etc.

## Exposición oral

Después de leer la información anterior prepara una exposición oral en la que deberás:

- Manifestar tu acuerdo o desacuerdo con la opinión de James Lovelock.
- Comparar la energía nuclear con otras fuentes de energía alternativas y dar ejemplos.
- Hablar del medio ambiente y de cómo podría afectar positiva o negativamente el uso de la energía nuclear.

# ORACIONES SUSTANTIVAS

## VERBOS DE VOLUNTAD O INFLUENCIA (MANDATO, PROHIBICIÓN O CONSEJO)

- Con infinitivo
  Cuando el sujeto es el mismo: *Se negó a participar en la reunión anual.*
- Con subjuntivo o infinitivo
  Cuando el sujeto es distinto: *Te mandó que lo hicieras tú solo/Os aconsejo venir antes de la hora.*

Verbos de voluntad o influencia: *aceptar, aconsejar, consentir, decidir, decir, dejar, exigir, hacer, impedir, indicar, intentar, lograr, mandar, necesitar, negarse a, obligar, ofrecer, ordenar, pedir, permitir, procurar, prohibir, proponer, recomendar, rogar, solicitar, sugerir, tolerar,* etc.

## VERBOS DE LENGUA, ENTENDIMIENTO Y PERCEPCIONES SENSORIALES

- Con indicativo
  - En forma afirmativa e interrogativa: *Creo que ha venido esta tarde.*
  - Con imperativo negativo: *No creas que todo es tan fácil.*
  - Con adverbios interrogativos: *qué, quién, cómo, cuándo,* etc.: *No sé dónde está.*
- Con subjuntivo
  - En frases negativas: *No veo que trabajes tanto como dices.*
  - Los verbos *aceptar, admitir, comprender, entender, explicar* cuando tienen la idea implícita de *aunque*: *Admito que sea tan grave como dicen, pero esa no es la solución* (=aunque sea).

Verbos de lengua: *aclarar, anunciar, afirmar, asegurar, comentar, confesar, contar, contestar, decir, declarar, demostrar, enseñar, explicar, exponer, garantizar, indicar, informar, insistir, jurar, mencionar, murmurar, narrar, relatar, repetir, responder, señalar,* etc.

Verbos de entendimiento: *comprender, considerar, creer, entender, figurarse, imaginar(se), juzgar, opinar, pensar, reconocer, suponer,* etc.

Verbos de percepción: *darse cuenta, intuir, notar, observar, oír, parecer, sentir, soñar, ver,* etc.

## VERBOS QUE EXPRESAN EMOCIONES Y PREFERENCIAS

- Con infinitivo
  Cuando es el mismo sujeto: *Me alegro de veros.*
- Con subjuntivo o infinitivo
  Cuando es distinto sujeto: *Me alegro de que hayas venido.*

Verbos de emoción y preferencia: *agradar, alegrarse, anhelar, ansiar, apetecer, asombrar, dar (igual, pena, rabia, vergüenza...), desear, encantar, gustar, emocionar, entristecer, entusiasmar, esperar, extrañar, fastidiar, interesar, lamentar, molestar, pesar, poner (nervioso, de mal humor...), preferir, preocupar, pretender, querer, sentir, sorprender,* etc.

## EXPRESIONES IMPERSONALES DE OPINIÓN

- Con infinitivo
  Con *es verdad, es evidente, es seguro* y sinónimos: *Es evidente que no tiene interés.*
- Con subjuntivo o infinitivo
  - Con *bien, bueno, importante, lógico, mal, natural, normal, raro, comprensible*, etc.: *Es importante que hagas eso cuanto antes.*
  - Con *es verdad, es evidente, es seguro* y sinónimos en negativo: *No es verdad que hayan firmado el acuerdo.*

Expresiones más frecuentes: *es, parece + bueno, comprensible, conveniente, importante, imprescindible, injusto, lógico, mejor, malo, magnífico, maravilloso, natural, necesario, obligatorio, peor, posible, preciso, probable, razonable, ridículo, una estupidez*, etc.

*Está + bien, mal; más vale, merece/vale la pena.*

## VERBOS CON DOBLE CONSTRUCCIÓN CUANDO EL VERBO CAMBIA DE SIGNIFICADO

***Decir***

- Con indicativo con el sentido de *informar*: *Te digo que hoy no tengo tiempo.*
- Con subjuntivo con el sentido de *aconsejar o mandar*: *Te digo que veas ese programa porque es muy bueno.*

***Pensar***

- Con indicativo con el sentido de *reflexionar*: *He pensado que se lo voy a decir María.*
- Con subjuntivo con el sentido de *influir*: *He pensado que lo decidas tú misma.*

***Convencer***

- Con indicativo con el sentido de *demostrar*: *Le he convencido de que podía hacerlo solo.*
- Con subjuntivo con el sentido de *influir*: *Les convencí de que lo hicieran antes de tiempo.*

Otros verbos similares: *avisar, advertir, repetir, temer, confiar, esperar*, etc.

Hemiciclo.
Congreso de
los Diputados,
Madrid

# Unidad 2

## COMPRENSIÓN LECTORA

- **Javier Cercas:** *Anatomía de un instante*
  - **Más de cerca:** actividades y estrategias de control de la comprensión.
  - **Enriquece tu léxico:** actividades y estrategias de ampliación del vocabulario.

## COMPRENSIÓN AUDITIVA

- **Informe:** *Salud en riesgo*
  - Tareas y estrategias de control de la comprensión.

## COMPETENCIA GRAMATICAL

- **Contenidos específicos**
  - Pronombres relativos.
- **Contenidos generales**
  - Tiempos y modos verbales.
  - Contraste *ser/estar*.
  - Preposiciones.
  - Completa con las expresiones adecuadas.
- **Algo más**
  - Uso de *por qué, porque, porqué, por que.*

## EXPRESIÓN E INTERACCIÓN ESCRITAS

- **Escribir una carta de protesta**
  - Expresar preocupación y confianza, explicar cómo se ha conocido la noticia, proponer alternativas y soluciones.
- **Redactar un texto expositivo**
  - *La ciudad, ¿remedio para la vida en el pueblo?*

## EXPRESIÓN E INTERACCIÓN ORALES

- **La lengua nuestra de cada día**
  - Expresiones, refranes y frases hechas.
- **Hablando se entiende la gente**
  - **Tertulia:** *Clonación: ¿en manos de quién?*

## RESUMEN GRAMATICAL

- Pronombres relativos.

# Javier Cercas

VIDA Y OBRA

Escritor y periodista español (1962). Se licenció en Filología Hispánica en la Universidad Autónoma de Barcelona. Ejerció como profesor de Literatura Española en la Universidad de Gerona y trabajó escribiendo artículos y reseñas para diversos periódicos. Hasta la actualidad es colaborador habitual de la edición catalana y del suplemento dominical del diario *El País*.

En 2001 publicó su novela *Soldados de Salamina*, obra que lo convirtió en un escritor mundialmente reconocido.

En 2005, con *La velocidad de la luz*, obtiene distintos premios y su obra ha sido traducida a más de veinte lenguas.

Su narrativa se caracteriza por su fuerte contenido político, hace uso de la novela testimonio en la que mezcla hechos verídicos y ficticios, sin dejar claros los límites entre ambos. Para él toda novela es autobiográfica.

Su forma de ver la literatura ha sido celebrada por muchos, pero también criticada por otros. Todas sus novelas, a pesar de ser muy diferentes, comienzan con una pregunta cuya búsqueda de respuesta constituye el argumento de la obra, que trata de responderse a lo largo del libro. Para Cercas su ideal son las «novelas fáciles de leer y difíciles de entender», como es el caso de *Don Quijote de la Mancha*, su novela favorita.

## Anatomía de un instante

Dieciocho horas y veintitrés minutos del 23 de febrero de 1981. En el hemiciclo del Congreso de los Diputados se celebra la votación de investidura de Leopoldo Calvo Sotelo, que está a punto de ser elegido presidente del gobierno en sustitución de Adolfo Suárez, dimitido recientemente y todavía presidente en funciones tras casi cinco años de mandato durante los cuales el país ha terminado con una dictadura y ha construido una democracia. Sentados en sus escaños mientras aguardan el turno de votar, los diputados conversan, dormitan o fantasean en el sopor de la tarde; la única voz que resuena con claridad en el salón es la del secretario del Congreso, quien lee desde la tribuna la lista de los parlamentarios para que apoyen o rechacen la candidatura de Calvo Sotelo. Es ya la segunda votación y carece de suspense puesto que le basta el apoyo de una mayoría simple, así que –dado que tiene asegurada esa mayoría– a menos que surja un imprevisto el candidato será en unos minutos elegido presidente del gobierno.

Pero el imprevisto surge. El secretario procede a la votación y en ese momento se oye un rumor anómalo, tal vez un grito procedente de la puerta derecha del hemiciclo y el diputado nombrado no vota o su voto resulta inaudible o se pierde entre el revuelo perplejo de los diputados, algunos de los cuales se miran entre sí, dudando si dar crédito o no a sus oídos, mientras otros se incorporan en sus escaños para tratar de averiguar qué ocurre, quizá menos inquietos que curiosos. Nítida y desconcertada, la voz del secretario inquiere: «¿Qué pasa?», balbucea algo, vuelve a preguntar: «¿Qué pasa?», y al mismo tiempo entra por la puerta derecha un ujier de uniforme, cruza con pasos urgentes el semicírculo central del hemiciclo, donde se sientan los taquígrafos, y empieza a subir las escaleras de acceso a los escaños; a la mitad se detiene, cambia unas palabras con un diputado y se da la vuelta; luego sube tres peldaños más y se da otra vez la vuelta. Es entonces cuando se oye un segundo grito, borroso, procedente de la entrada izquierda del hemiciclo, y luego, también ininteligible, un tercero, y muchos

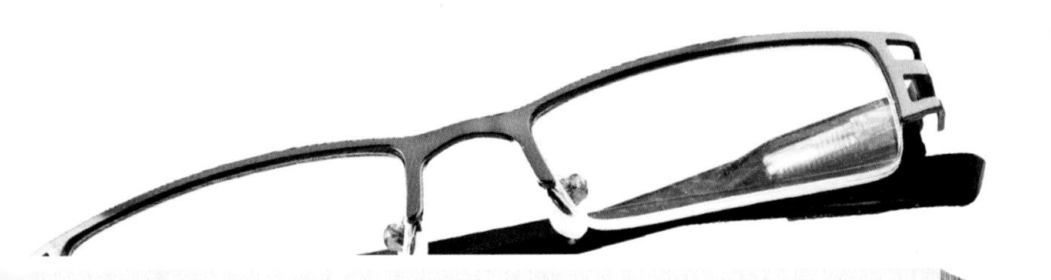

diputados –y todos los taquígrafos, y también el ujier– se vuelven a mirar hacia la entrada izquierda.

El plano cambia; una segunda cámara enfoca el ala izquierda del edificio: pistola en mano, el teniente coronel de la Guardia Civil Antonio Tejero sube con parsimonia las escaleras de la presidencia del Congreso y se queda de pie junto al presidente que lo mira con incredulidad. El teniente coronel grita: «¡Quieto todo el mundo!», y a continuación transcurren unos segundos hechizados durante los cuales nada ocurre y nadie se mueve y nada parece que vaya a ocurrir ni ocurrirle a nadie, salvo el silencio. El plano cambia, pero no el silencio: el teniente coronel se ha esfumado porque la primera cámara enfoca el ala derecha del hemiciclo, donde todos los parlamentarios que se habían levantado han vuelto a tomar asiento, y el único que permanece de pie es el general Gutiérrez Mellado, vicepresidente del gobierno en funciones; junto a él, Adolfo Suárez sigue sentado en su escaño, el torso inclinado hacia adelante, una mano aferrada al apoyabrazos de su escaño, como si él también estuviera a punto de levantarse. Cuatro gritos próximos, distintos e inapelables deshacen entonces el hechizo; alguien grita: «¡Silencio!»; alguien grita: «¡Quieto todo el mundo!»; alguien grita: «¡Al suelo todo el mundo!». El hemiciclo se apresta a obedecer: el ujier y los taquígrafos se arrodillan junto a su mesa; algunos diputados parecen encogerse en sus escaños. El general, sin embargo, sale en busca del teniente coronel rebelde, mientras el presidente Suárez intenta retenerle sin conseguirlo, sujetándolo por la americana. Ahora el teniente coronel Tejero vuelve a aparecer en el plano, bajando la escalera de la tribuna de oradores, pero a mitad de camino se detiene, confundido o intimidado por la presencia del general que camina hacia él exigiéndole con gestos terminantes que salga de inmediato del hemiciclo, mientras tres guardias civiles irrumpen por la entrada derecha y se abalanzan sobre el viejo y escuálido general, lo empujan, le agarran de la americana, lo zarandean, a punto están de tirarlo al suelo.

Cercas, J.: *Anatomía de un instante* (adaptado)

## Más de cerca

### 1 Señala si es verdadero (V) o falso (F) según lo que escribe el autor en el texto.

| | V | F |
|---|---|---|
| 1. Suárez es elegido presidente en funciones para sustituir a Calvo Sotelo. | ☐ | ☑ |
| 2. La votación no puede realizarse porque el hemiciclo es asaltado en el momento en que esta había comenzado. | ☑ | ☐ |
| 3. El teniente coronel de la Guardia Civil impone el silencio con su sola presencia. | ☐ | ☑ |
| 4. Tejero grita órdenes que nadie obedece. | ☐ | ☑ |
| 5. Gutiérrez Mellado se enfrenta con el guardia civil que ha asaltado el Congreso. | ☑ | ☐ |

### 2 Elige la opción correcta.

1. **Según Cercas, los diputados...**
   - a. dormitan en sus bancos porque no hay ningún tema interesante que tratar en ese momento.
   - b. conocen el resultado de la votación de antemano.
   - c. creen que no puede surgir ningún imprevisto que altere el curso de la votación.
2. **Las cámaras que enfocan el hemiciclo muestran cómo...**
   - a. el teniente coronel Tejero mira con incredulidad al presidente.
   - b. los diputados prosiguen con la votación al confiar en que nada puede ocurrirles.
   - c. el presidente Suárez fracasa al tratar de impedir que el general salga al encuentro de Tejero.

### 3 Escribe una reseña.

1. **Trabajas en un periódico y tienes que hacer una reseña del texto de Cercas con los siguientes puntos.**
   - Tema.
   - Ideas principales: de forma cronológica, hechos y personas implicadas.
2. **Pon título al texto.**

# COMPRENSIÓN LECTORA

## Enriquece tu léxico

**1** **Relaciona las palabras del texto con sus sinónimos.**

| | |
|---|---|
| 1. celebrarse | a. aparecer |
| 2. dimitir | b. realizarse |
| 3. aguardar | c. disponerse |
| 4. apoyar | d. mascullar |
| 5. surgir | e. sacudir |
| 6. rumor | f. asir |
| 7. revuelo | g. agitación |
| 8. incorporarse | h. aturdido |
| 9. desconcertado | i. escalón |
| 10. balbucear | j. achicarse |
| 11. peldaño | k. levantarse |
| 12. parsimonia | l. busto |
| 13. inapelable | m. cohibido |
| 14. transcurrir | n. lentitud |
| 15. torso | ñ. esperar |
| 16. aprestarse | o. cesar |
| 17. encogerse | p. pasar |
| 18. sujetar | q. respaldar |
| 19. intimidado | r. murmullo |
| 20. zarandear | s. indiscutible |

**2** **Encuentra el antónimo.**

| | |
|---|---|
| 1. sustituir | a. normal |
| 2. resonar | b. impreciso |
| 3. basta | c. abandonar |
| 4. anómalo | d. resuelto |
| 5. inaudible | e. relevar |
| 6. perplejo | f. alzarse |
| 7. borroso | g. enmudecer |
| 8. permanecer | h. escasear |
| 9. arrodillarse | i. audible |
| 10. terminante | j. nítido |

REAL ACADEMIA ESPAÑOLA

Diccionario de la lengua española

**3** **¿Qué sentido tienen estos términos en el texto de *Cercas*? Elige la opción correcta.**

**Investidura**
1. f. Carácter que se adquiere con la toma de posesión de ciertos cargos o dignidades.
2. f. Cambio de la posición, el sentido o el orden de algo.

**Suspense**
1. adj. Colgado, suspendido en el aire.
2. m. Expectación impaciente o ansiosa por el desarrollo de una acción o suceso, especialmente en una película cinematográfica, una obra teatral o un relato.

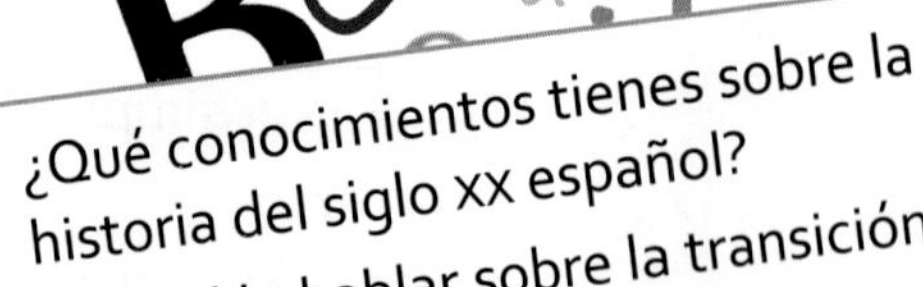

**¿Y tú?**

- ¿Qué conocimientos tienes sobre la historia del siglo XX español?
- ¿Has oído hablar sobre la transición española?
- ¿Y del intento de golpe de Estado del teniente coronel Tejero?
- Comenta estos acontecimientos con tus compañeros.

**4** **Completa cada frase con uno de los siguientes términos. Haz las transformaciones necesarias.**

resonar ■ dimitir ■ perplejo ■ balbucear ■ inaudible ■ intimidado ■ respaldar
cohibido ■ mascullar ■ achicarse ■ murmullo ■ torso ■ enmudecer ■ ambiguo
terminante ■ celebrarse ■ revuelo ■ aprestarse ■ aturdido ■ peldaño

1. Cuando le propuse ir de vacaciones a la montaña, rechazó la oferta de forma ............................ .
2. Cuando llegó a la iglesia, el funeral de su tío ya ............................ .
3. El volumen de su voz era tan ............................ que casi nadie pudo escuchar lo que decía.
4. El ............................ de Belvedere es un fragmento de la estatua de un desnudo masculino firmado por el escultor ateniense Apolonio de Atenas.
5. Eliminar el lenguaje ............................ es uno de los mejores modos de realzar el mensaje que desea transmitir.
6. Encogió los hombros y trató de ............................ en el sillón. Deseaba desaparecer, dejar de existir.
7. Fue tal la sorpresa que su presencia le provocó que ............................ y no fue capaz de saludarla.
8. Había tanto silencio que sus pasos ............................ en la galería.
9. Hay que reparar varios ............................ de la escalera porque están en malas condiciones y podríamos caernos al bajarla.
10. Hoy me he levantado un poco ............................ . Se ve que no he descansado lo suficiente.
11. La maestra echó una mirada tan severa a los alumnos que se sintieron ............................ .
12. La necesidad de los niños de ............................ durante los primeros meses es innata.
13. Las severas declaraciones del ministro causaron un gran ............................ entre la población.
14. No tuvo arrestos para decírselo a la cara, pero en su interior ............................ una maldición.
15. Pienso que una obra de arte debería dejar ............................ al espectador, hacerle meditar sobre el sentido de la vida. (Antoni Tàpies).
16. Quien se niega a aplicar remedios nuevos debe ............................ a sufrir nuevos males, porque el tiempo es el mayor innovador. (Francis Bacon).
17. Quiero que sepas que te ............................ en todas tus decisiones.
18. Si tuviera que ............................ cada vez que sus superiores discrepan de él, no duraría ni un día en su cargo.
19. Siempre me siento ............................ cuando ella me habla de sus intimidades.
20. Una voz fuerte no puede competir con una voz clara, aunque esta sea un simple ............................ (Confucio).

**5** **Completa con antónimos del ejercicio 2. Haz las transformaciones necesarias.**

1. La última voz ............................ fue la de un experto que dijo que aquello era imposible.
2. Se expresó en términos tan ............................ que nadie comprendió lo que quería decir.
3. No porque hayas hecho ............................ a una persona la has convencido.
4. Resolvió ............................ la mala vida que llevaba.

# COMPRENSIÓN AUDITIVA

# Salud en riesgo

DELE
Actividades de ayuda para la preparación del DELE.

Audio descargable
tuaulavirtual
www.edelsa.es
Pista 2

**1** Vas a escuchar una presentación sobre los resultados de un estudio médico entre fumadores. Después, redacta un texto argumentativo (150 palabras) con los puntos principales y expresa, de forma justificada, tu opinión al respecto.

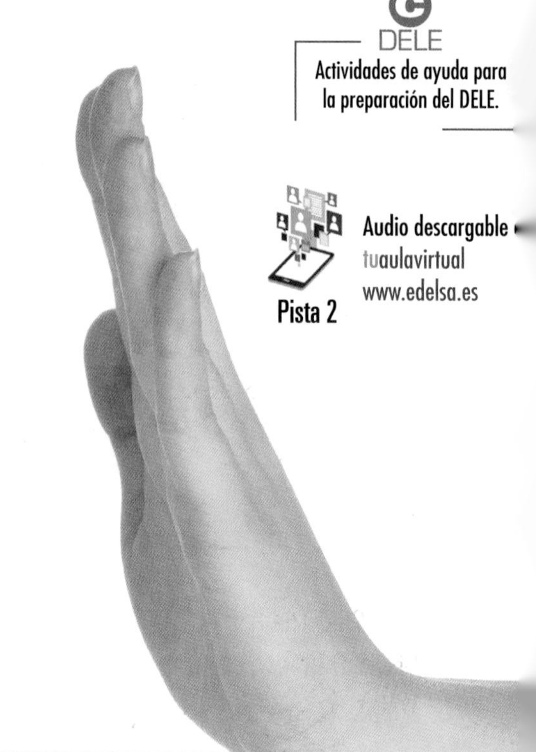

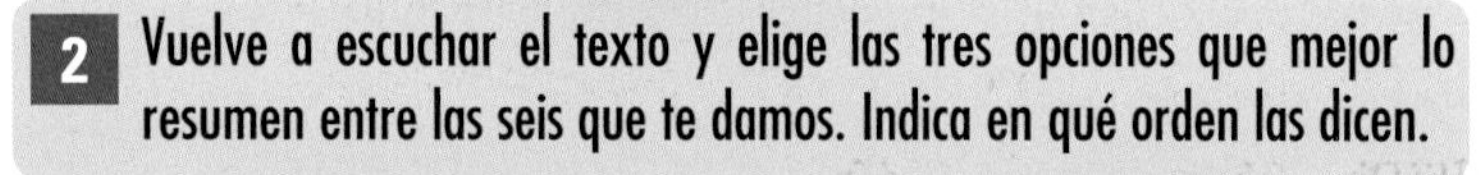

**2** Vuelve a escuchar el texto y elige las tres opciones que mejor lo resumen entre las seis que te damos. Indica en qué orden las dicen.

a. Tener gran cantidad de arrugas faciales es síntoma, a la larga, de problemas pulmonares inesperados. ☐

b. Quienes presentan profundas arrugas en el rostro tienen más riesgo de padecer trastornos pulmonares. ☐

c. La EPOC es un conjunto de enfermedades que impide la entrada de oxígeno en los pulmones. ☐

d. Hay personas con una alta predisposición a tener arrugas. ☐

e. Según la OMS, la EPOC será la tercera causa de mortalidad en América Latina en el futuro. ☐

f. Fumar, además de provocar un rápido envejecimiento de la piel, puede causar EPOC. ☐

**3** ¿Lo has entendido bien? Elige la opción correcta.

**1**

a. El estudio se realizó entre fumadores de mediana edad con arrugas en la piel.

b. Tener arrugas en el rostro es síntoma de enfermedades crónicas degenerativas.

c. Los fumadores con la piel facial más lisa tienen menos riesgo de sufrir problemas pulmonares.

**2**

a. La EPOC es un grupo de enfermedades incurables y progresivas.

b. La piel del rostro indica la predisposición genética a padecer trastornos pulmonares.

c. Según la OMS, en el futuro, el 2 % de los hispanos padecerá EPOC sin saberlo.

**3**

a. Fumar activa unas enzimas de la piel que la perjudican y dañan su elasticidad.

b. Los casos de EPOC se producen como consecuencia del tabaco.

c. La dificultad para respirar puede ser un indicio de padecer EPOC.

## 1 Pronombres relativos

**Completa con el pronombre relativo adecuado. Hay varias posibilidades.**

1. .............................. calla otorga.
2. .............................. desobedezcan las órdenes serán castigados.
3. El fontanero .............................. he llamado vendrá mañana por la mañana.
4. El libro de terror, .............................. tenía las páginas ya amarillentas, era de su hermano mayor.
5. El libro, .............................. leía a escondidas, era una historia terrorífica con héroes de ultratumba.
6. En mi colegio expulsaban a .............................. pillaban copiando en un examen.
7. En mi clase había un chico .............................. no tenía padres.
8. En una fiesta conocí a la chica de .............................. me hablaste.
9. Esta tarde vamos a ver la película .............................. nos recomendaste.
10. García, a .............................. todos tomaban el pelo, era el más empollón de la clase.
11. Isabel sabía .............................. estaba en juego en ese momento.
12. La casa en .............................. vivíamos estaba lejos del centro.
13. La mujer, .............................. hijo se había perdido entre la multitud, estaba desesperada.
14. Las hijas de nuestros vecinos, .............................. antes nos visitaban todas las tardes, dejaron de venir.
15. Las Matemáticas no eran una asignatura .............................. me interesara especialmente.
16. Las personas en .............................. más confiábamos nos defraudaron.
17. No creas a .............................. te digan eso.
18. No estudiaba mucho por culpa de mis hermanos pequeños, .............................. siempre me distraían.
19. No me gustó .............................. dijo.
20. Puedes invitar a .............................. te apetezca.

## 2 Transforma las siguientes frases en relativas.

**Ejemplo:** Uno de esos chicos se acerca sonriente a nosotras. ¿Lo conoces?
¿Conoces a ese chico que se acerca sonriente a nosotras?

1. Acaba de decir algo. Yo no he entendido nada.
2. Algunos de los trabajadores del puerto fueron despedidos. Esos trabajadores habían participado en la huelga.
3. Ana ha dicho muchas cosas interesantes. Estoy de acuerdo con Ana.
4. El cantante llegó en un coche último modelo. El coche se paró delante del hotel.
5. Hicimos una reserva *on-line* en uno de esos hoteles de lujo. La publicidad *on-line* del hotel no se correspondía con la realidad.
6. Mis padres viven en una casa nueva. Esa casa tiene una piscina enorme.
7. Necesito una chica de servicio. Esa chica debe tener informes.
8. No veo a menudo a mis antiguos compañeros. Solo a Juan.
9. Para llegar al pueblo tenemos que pasar por una carretera antigua. Esa carretera está llena de curvas.
10. Quiero que seáis felices. Nada más.

## 3 Indicativo o subjuntivo

**Completa el texto con los tiempos y modos adecuados.**

# París

También en los años setenta, cuando yo (*estar*) (1) .................. en París (...) el futuro (*ser*) (2) .................. un espejismo, pero me (*negar*) (3) .................. a aceptarlo. Como (*ser*) (4) .................. joven, (*sentir*) (5) .................. que (*tener*) (6) .................. la obligación de creer que (*tener*) (7) .................. futuro, aunque este no lo (*ver*) (8) .................. muy claro.

Por otra parte, tanto simular desesperación me (*llevar*) (9) .................. a pasarme días enteros desesperado de verdad, (*ver*) (10) .................. todo oscuro, muy negro el porvenir.

Mi juventud (*comenzar*) (11) .................. a parecerse a lo que antes (*llamar*) (12) .................. desesperación en negro. Esa desesperación –a veces fingida y otras realmente vivida– (*ser*) (13) .................. mi compañía más fiel y constante a lo largo de los dos años que (*vivir*) (14) .................. en París. Muchas veces, una repentina lucidez que (*parecer*) (15) .................. surgir de mi desesperación menos fingida me (*decir*) (16) .................. que (*estar*) (17) .................. enterrando mi juventud en la buhardilla. La juventud es extraordinaria, (*pensar*) (18) .................., y yo la tengo sofocada viviendo una bohemia que no me conduce a nada.

Un día, a través del ensayo de Cozarinsky sobre Borges y el cine, (*descubrir*) (19) .................. al autor de *El Aleph*. (*Comprar*) (20) .................. sus cuentos en la Librería Española y leerlo fue toda una revelación para mí, (*impresionar, a mí*) (21) .................. mucho, sobre todo, la idea –hallada en uno de sus cuentos– de que tal vez no (*existir*) (22) .................. el futuro. (*Ser*) (23) .................. la misma que (*encontrar*) (24) .................. en el libro de Miller sobre Rimbaud. (*Quedar*) (25) .................. de nuevo perplejo ante esa negación del tiempo, en este caso ante la refutación del tiempo que (*poder*) (26) .................. encontrarse en un escrito sobre el Orbis Tertius, el axioma más importante de las escuelas filosóficas. Según ese axioma, el futuro solo tiene una realidad en la forma de nuestros miedos y esperanzas presentes, y el pasado solo tiene realidad meramente como recuerdo.

El pasado es siempre un conjunto de recuerdos, de recuerdos muy precarios, porque nunca son verdaderos. Acerca de esto le (*oír*) (27) .................. decir algo muy bello y conmovedor a Borges. Se lo (*oír*) (28) .................. decir en una conferencia secreta que él (*dar*) (29) .................. en Zékian, una librería clandestina que (*hallarse*) (30) .................. en la segunda planta de una casa de la rue Littré. (*Ser*) (31) .................. el propio Cozarinsky quien (*poner, a mí*) (32) .................. en la pista de esa librería secreta.

Villa-Matas, E.: *París no se acaba nunca* (adaptado)

## 4 *¿Ser o estar?*

**Completa con *ser* o *estar* en el tiempo y modo adecuados.**

Lo primero que sintió Gregorio (1) ............................ que ahora temía más la justicia de Antón que la de los jueces. Tanto (2) ............................ el terror que le inspiraba aquel hombre –su venganza (3) ............................ terrible cuando descubriese la burla– que ni siquiera tuvo tiempo de compadecerse de Gil. Había que entregarse, y pronto, porque con el nombre de Faroni aparecido en varios frentes, no tardarían en ir, quizás todos juntos, unidos ahora por el despecho del escarnio, a interrogar a Angelina. (...) Todos contra él. ¡Y qué rechifla se organizaría en el juicio! ¡El gran Faroni!, titularían las crónicas. Y le sacarían chistes, motes y caricaturas. Y luego (4) ............................ el libro, las fotos, los viajes, el prólogo de Hemingway, el biógrafo, su romance con Marlín, sus obras perdidas y tantas otras invenciones. (5) ............................ el hazmerreír de todo el mundo. El rostro se le llenó de lágrimas ante la vergüenza de tener que admitir uno a uno sus muchos embustes, a cual más pretencioso. Y el caso (6) ............................ que él no (7) ............................ un mal hombre, y no se merecía desde luego aquel trato. «Si yo (8) ............................ buena gente», se dijo, pero esa convicción más que consolarlo, le agravaba las penas.

Landero, L.: *Juegos de la edad tardía* (adaptado)

## 5 Preposiciones

**Completa con la preposición que falta.**

1. Ya estamos hechos .............. la crisis, así que esta nueva subida del petróleo no nos pilla de sorpresa.
2. La distancia que me separa .............. ella no es solo física, diferimos .............. muchísimas cosas.
3. Me vi empujado .............. las circunstancias a actuar como lo hice, pero no estoy tratando de justificarme.
4. Cuando apareció en la sala .............. su llamativo vestido rojo, todos los ojos se posaron en ella instintivamente.
5. Los vecinos salieron espantados .............. el fuego que se había propagado .............. el tercer piso del inmueble.
6. La mayoría de los seres humanos tenemos el sueño de vivir .............. trabajar, o trabajar lo menos posible.
7. No tengo remedio .............. tus males, lo mejor será que visites a un psicólogo.
8. Solo algunos privilegiados no tienen la necesidad .............. trabajar para vivir.
9. Teníamos que llegar .............. entendernos fuera como fuera, ya que colaborábamos en el mismo proyecto.
10. Hablábamos por teléfono tranquilamente cuando hubo un cruce .............. líneas y un desconocido intervino en nuestra conversación.
11. Es una mujer .............. mucho carácter, así que no es fácil llevarle la contraria.
12. A mí me gusta la gente sencilla, .............. pueblo.
13. Mire, estoy interesada .............. encontrar un piso grande y soleado, el precio es lo de menos.
14. Lo malo .............. tener un coche tan grande es que no puedes encontrar aparcamiento fácilmente.
15. Lo que me fascina de algunas personas es lo que tienen .............. ingenuas.

## 6 Completa el texto con estos términos.

entonces ■ cualquiera de ■ cuando ■ cada ■ bajo
de modo que ■ mientras ■ cuya ■ sino ■ puesto que

En los pueblos se sabe todo. La vida de la gente pertenece al acervo común. Desde la pila del bautismo hasta el nicho del cementerio, la parábola que describe la existencia está (1) ............................ constante observación. En los pueblos existen unos bancos de datos: el casino, el confesionario, la barbería. En ellos se almacena la biografía de (2) ............................ uno en forma poliédrica, (3) ............................ a (4) ............................ los vecinos se le conoce por los cuatro costados y no solo a él, (5) ............................ también a sus antepasados. En el casino, el Gran Hermano se toma un carajillo todas las tardes (6) ............................ juega al tute. No existe escapatoria. Esa tupida red de información ha creado una manera (7) ............................ sustancia es la cautela. Cuando un forastero llega al pueblo, siente que al cruzar una calle desierta se van abriendo sucesivos ventanucos a sus espaldas. [...]. Lo mismo sucede en las pequeñas ciudades. Bajo las lentas campanadas de la iglesia se apartan discretamente los visillos de los miradores (8) ............................ unos pasos suenan en la acera. [...] El anonimato de la gran ciudad fue la primera revolución. Cuando la gente dejó de reconocerse en las calles populosas, los rostros se convirtieron en máscaras y (9) ............................ el espíritu humano cambió de esencia. Durante varios siglos en las grandes ciudades reinó este maravilloso baile entre desconocidos, pero hoy los medios de información, de espionaje y de comunicación nos han obligado a todos a ser de pueblo otra vez. Los vídeos ocultos, los microtransistores, las células fotoeléctricas han sustituido a la solterona que nos atisbaba desde el mirador isabelino al ventanuco siciliano que se abría en la calleja desierta cuando cruzaba un recién llegado. La transparencia está generando una nueva moral (10) ............................ si la intimidad ya es irrecuperable lo más sensato será acomodar para siempre nuestras costumbres a la microelectrónica que es el nuevo espacio de la libertad.

Vicent, M.: *Mirador* (adaptado)

**Algo más**

### por qué, porque, porqué, por que

- Por qué: preposición + pronombre interrogativo. Se utiliza para preguntar la causa o motivo de una acción:

  *¿Por qué lo has hecho?*

- Porque: conjunción causal.

  *Me voy porque tengo prisa.*

  Otras conjunciones y locuciones causales son: *como, pues, dado que, puesto que, ya que*, etc.

- Porqué: sustantivo. Significa, según el *Diccionario de la Real Academia Española*: 'causa, razón o motivo'.

  *Dime el porqué de tu comportamiento.*

- Por que: preposición + relativo.

  Equivale a *por el cual, por la cual, por los cuales* o *por las cuales*.

  *Esta es la razón por que te escribo.*

## 7 ¿Por qué, porque, porqué o por que?

**Completa con la partícula adecuada.**

1. ¿Te has enfadado con él ...porque... no te ha llamado el fin de semana?
2. No tienes ...porque... darle tantas explicaciones.
3. Todavía me pregunto el ...por qué... de su actuación.
4. ¿...Porqué... lugares pasasteis en vuestro viaje a Galicia?
5. No recuerdo todos los pueblos ...porque... (los) ...por qué... pasamos.
6. ¿...Porqué... no te acuestas un rato y descansas?
7. Le ofrecieron a él el puesto ...porque... tiene el servicio militar cumplido.
8. No sé ...porqué..., pero a estas edades los niños preguntan el ...por qué... de todo.
9. Estas son las razones ...por que... (las) ...porque... he dimitido.
10. ¿...Por qué... razón quieres marcharte de casa?
11. Estoy preocupado. No sé ...por que... no contesta al teléfono.
12. No voy a hacerlo simplemente ...por que... lo digas tú.
13. ¿...Por qué... no te ha llamado aún te preocupas? Es pronto todavía.
14. ¿Y ese es el motivo ...por qué... (el) ...porque... no os habláis desde hace tanto tiempo?
15. No respondas a mis preguntas contestando ............................ sí y ............................ no a todo.

## 8 Elige la opción correcta.

1. He venido no ...c... me hayas llamado, sino ...b... me apetecía.
   a. por que
   b. porque
   c. por qué

2. Me preocupa bastante ...b... es demasiado joven para tomar esas decisiones.
   a. por qué
   b. porque
   c. por que

3. No necesitas explicarme el ...b... de tu enfado conmigo. Ya está todo aclarado.
   a. porqué
   b. por qué
   c. porque

# EXPRESIÓN E INTERACCIÓN ESCRITAS

## Antes de nada

**El encabezamiento**

Se compone de: **membrete, fecha, nombre y dirección del destinatario, referencias, asunto, línea de atención, saludo.**

**Membrete**

(datos del remitente o quien envía la carta: nombre de la persona o razón social de la empresa y dirección). También se puede incluir:

- El logotipo de la empresa.
- La actividad de la empresa.
- El número de teléfono, fax, dirección de Internet, etc.
- El código de identificación fiscal (CIF).
- La dirección de correo electrónico y/o la página web.

**Nota:** muchas empresas utilizan un papel en el que constan ya todos estos datos.

## ¡No hay derecho!

### Escribe una carta de protesta

- En la ciudad donde vives, muy cerca de tu casa, existen unos terrenos pertenecientes al Ayuntamiento que están sin urbanizar. Por un periódico local te has enterado de que dicho Ayuntamiento piensa venderlos a una fábrica de plásticos.

  Escribe una carta de protesta (en el tono y estilos apropiados) al alcalde en la que deberás:

  - Identificarte y decir en qué zona o barrio vives.
  - Explicar cómo has conocido la noticia.
  - Exponer los hechos, hablar del impacto medioambiental que crees que se va a producir y expresar tu preocupación por el hecho.
  - Proponer que los terrenos se dediquen a otros fines, como jardines, parque infantil, centro cultural, etc.
  - Despedirte expresando confianza en que tus deseos serán considerados.

## Recursos

**Explicar cómo se ha conocido la noticia**

*He sabido por...*
*Por... he conocido que...*
*He sido informado por...*

**Expresar preocupación**

*Me he quedado muy preocupado por...*
*Siento gran preocupación por...*
*Me preocupa que...*

**Proponer alternativas y soluciones**

*Pienso que la mejor solución sería...*
*Considero que una de las alternativas sería...*
*¿No creen que sería mejor...?*
*¿... o por el contrario...?*

**Expresar confianza**

*Confío en que...*
*Estoy seguro de que...*
*En la confianza de que...*

# La ciudad, ¿remedio para la vida en el pueblo?

> «La ciudad, por monstruosa que sea, nació como remedio para la escuálida vida pueblerina del XIX».
>
> Félix de Azúa

## xpón tu punto de vista

Redacta un texto expositivo (150-200 palabras) tratando los siguientes temas:

- ¿Cómo se han ido formando las grandes conglomeraciones urbanas?
- ¿Qué problemas han solucionado?
- ¿Han aparecido problemas que antes no existían?
- ¿Cuál es la tendencia para un futuro más o menos próximo?

## Recursos

**Presentar el tema:** *a continuación, seguidamente,* etc.
**Exponer el tema:** *me gustaría decir que, en primer lugar quiero decir, la verdad es que.*
**Explicación del tema:** *como por ejemplo, como se dice en,* etc.
**Reformular:** *dicho de otro modo, en otras palabras, a saber,* etc.
**Destacar, poner de relieve:** *quiero recalcar, conviene destacar, me consta que, cabe subrayar, hay que insistir en,* etc.
**Conclusión y reflexión final:** *en conclusión, para finalizar, en suma, a modo de conclusión,* etc.

# EXPRESIÓN E INTERACCIÓN ORALES

# La lengua nuestra de cada día

## Cada oveja con su pareja

**1** **Relaciona las expresiones con su definición.**

1. Sin ton ni son.
2. Más vale pájaro en mano que ciento volando.
3. Desde que el mundo es mundo.
4. Echar leña al fuego.
5. A pedir de boca.

a. Es mejor lo poco, pero seguro, que lo mucho, pero incierto

b. Avivar una discordia.

c. Sin motivo ni fundamento.

d. Desde siempre.

e. Todo lo bien que cabe desear.

## Un paso más

**2** **Completa con una de las expresiones anteriores.**

1. Nos pasamos toda la reunión discutiendo sobre asuntos del trabajo. Ana y Carlos comenzaron a enfadarse en serio porque ellos querían hacer las cosas a su manera. María les dijo que eran unos arrogantes y yo, como no quería ............................, me quedé callada, pero la verdad es que estoy totalmente de acuerdo con María.
2. Noelia decidió celebrar su 30 cumpleaños en casa. Preparó una cena magnífica. Allí nos reunimos todos los amigos y cuando estábamos preparados para brindar, Ernesto, ............................, se levantó y se fue sin decir nada. ¡Nos quedamos de piedra!
3. Los padres de Sara son muy conservadores y siempre dicen lo mismo: «En nuestro pueblo, ............................, las cosas se han hecho de la misma manera, con lo cual no vamos a cambiar ahora. Preferimos seguir con nuestras tradiciones, ya somos muy mayores para aceptar cosas nuevas».

## ¡Como un español!

**3** **Prepara un pequeño diálogo entre dos amigos en el que aparezcan, al menos, tres de las anteriores expresiones.**

# Hablando se entiende la gente

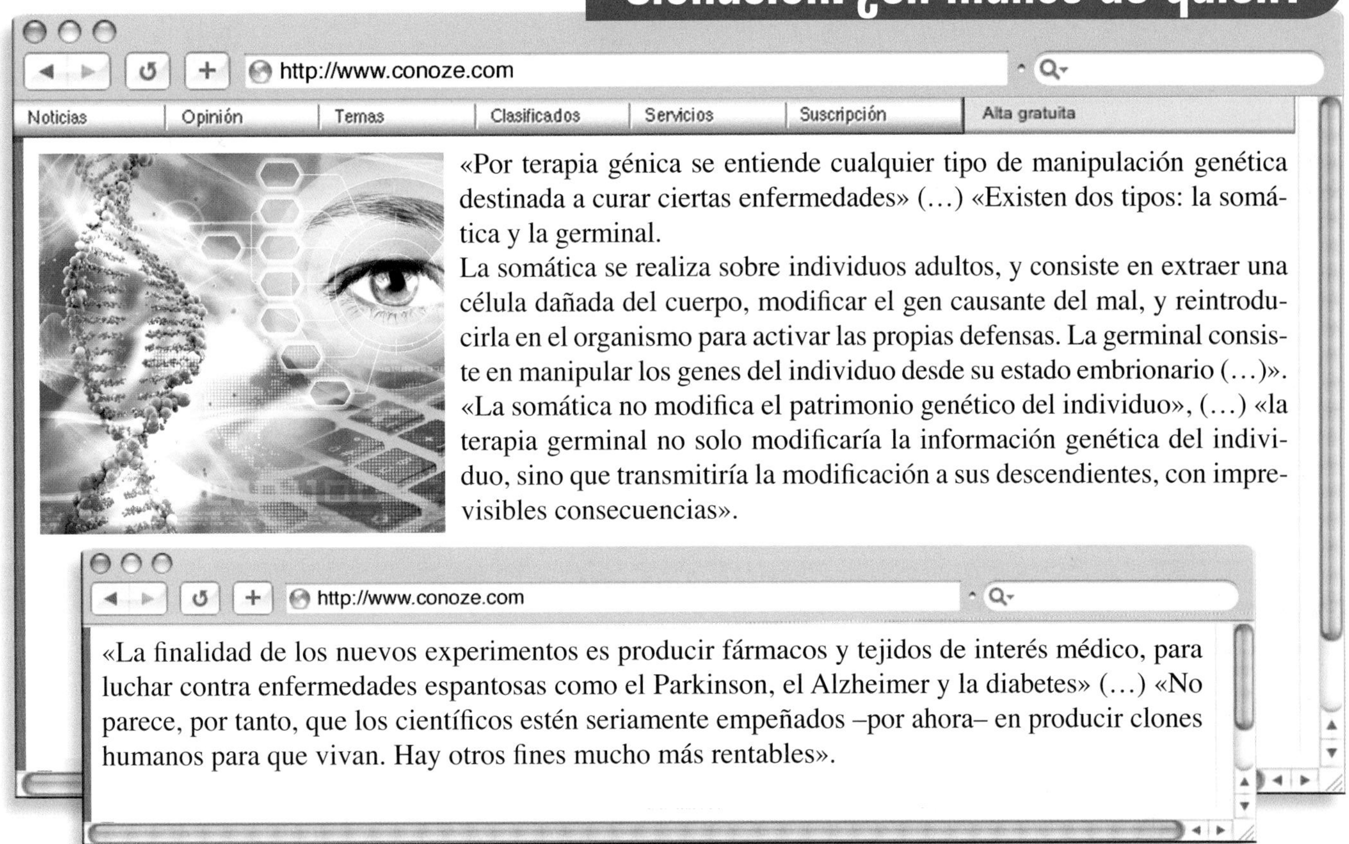


«Por terapia génica se entiende cualquier tipo de manipulación genética destinada a curar ciertas enfermedades» (...) «Existen dos tipos: la somática y la germinal.
La somática se realiza sobre individuos adultos, y consiste en extraer una célula dañada del cuerpo, modificar el gen causante del mal, y reintroducirla en el organismo para activar las propias defensas. La germinal consiste en manipular los genes del individuo desde su estado embrionario (...)». «La somática no modifica el patrimonio genético del individuo», (...) «la terapia germinal no solo modificaría la información genética del individuo, sino que transmitiría la modificación a sus descendientes, con imprevisibles consecuencias».



«La finalidad de los nuevos experimentos es producir fármacos y tejidos de interés médico, para luchar contra enfermedades espantosas como el Parkinson, el Alzheimer y la diabetes» (...) «No parece, por tanto, que los científicos estén seriamente empeñados –por ahora– en producir clones humanos para que vivan. Hay otros fines mucho más rentables».

## Intervienen

- Un investigador contrario a la clonación por cuestiones éticas.
- Un científico a favor de la clonación somática.
- Un médico a favor de la clonación por sus ventajas médicas.

## Prepara tu intervención

- Busca información sobre la clonación, los nuevos experimentos para producir fármacos, enfermedades como el Parkinson y el Alzheimer. Toma notas para participar en la tertulia según el papel que elijas.

www.conoze.com/www.redcientifica.com

## Tertulia

Después de leer la información anterior y según el papel elegido.

- Discutir sobre la clonación de seres humanos en un futuro no muy lejano.
- Problemas éticos y religiosos que puede plantear la clonación.
- Las ventajas que este hecho aportaría a la humanidad e inconvenientes que se podrían derivar de ello.

## Recursos

**Expresar causa y consecuencia:** *tanto es así que, dado que, eso demuestra, por lo tanto, de ahí que, etc.*
**Expresar evidencia:** *es evidente que, resulta evidente, sin duda alguna, etc.*
**Hacer hipótesis:** *en el caso de que, en el hipotético caso de que, etc.*
**Expresar duda:** *parece ser que, lo más probable es que, etc.*
**Pedir aclaraciones:** *¿dice usted que...?, no sé si lo he entendido bien, pero..., ¿le importaría aclararme...?, etc.*

# RESUMEN GRAMATICAL

## PRONOMBRES RELATIVOS

### QUE

- Se refiere a persona, animal o cosa ya nombrada.
- Introduce frases especificativas y explicativas.
  *Los chicos que estaban cansados se fueron a dormir temprano* (= solo los cansados).
  *Los chicos, que estaban cansados, se fueron a dormir temprano* (= todos).
- Si va con preposición, suele llevar artículo para relacionarlo con su antecedente.
  *Estos son los amigos con los que voy de vacaciones todos los años.*
- Si no lleva preposición, normalmente va sin artículo.
  *El chico que me saludó se llama Jorge.*
- Suele llevar artículo con el verbo *ser*.
  *Fue Isabel la que compró el regalo para Pilar.*
- Si suprimimos el nombre, es necesario artículo + *que*.
  *El que me saludó se llama Jorge.*
- Con el artículo neutro *lo*, significa *la cosa que*.
  *Lo que importa es que estás bien.*

### EL/LA/LOS/LAS QUE

- Se refiere a personas o cosas ya nombradas. Aparece con preposición.
  *Esta es la chica con la que salgo desde hace un año.*
- Se refiere a personas o cosas que no nombramos porque ya se conocen por el contexto.
  *De los (libros) que he leído hasta ahora, este es el que más me ha gustado.*
- Se usa cuando generalizamos sobre personas, no de forma explícita. Alterna con *quien*.
  *El que diga eso no sabe lo que está diciendo.*
- En frases del tipo: cuantificador + *de* + relativo especificativas.
  *Muchos de los que vinieron eran amigos de Luna.*
- Se refiere a personas en construcciones del tipo: *todo* + relativo.
  *Todo el que quiera participar, tendrá que apuntarse en la lista.*

### QUIEN/QUIENES

- Se refiere únicamente a personas.
- Puede sustituir a *el que*.
  *Llegó el profesor de quien me hablaste.*
- Aparece cuando el antecedente de persona no está explícito.
  *No encuentro quien me cuide a los niños este verano.*

### CUYO/CUYA/CUYOS/CUYAS

- Tiene valor posesivo y va entre dos sustantivos, concertando con el segundo.
  *La señora cuyos hijos van conmigo a clase se ha comprado un coche nuevo.*
- El pronombre relativo concuerda con la cosa poseída, no con el antecedente.
  *Los niños cuya madre está hablando con Teresa son mis vecinos.*
- Generalmente se usa solo en la lengua escrita o formal.

## EL, LA, LO CUAL/LOS, LAS CUALES

- Se refiere a persona, animal o cosa. Necesita antecedente.
- Siempre lleva artículo y suele usarse con preposición.
- Solo en oraciones explicativas.
- Aparece preferentemente con el neutro *lo*.
  *La empresa quebró, por lo cual muchos trabajadores se quedaron en paro.*
- Su uso es frecuente si va precedido por una preposición: ***por lo cual, con lo cual, según lo cual, ante lo cual,*** etc.
- En frases del tipo: cuantificador + *de* + relativo explicativas.
  *Vinieron muchos ministros, varios de los cuales llegaron aquella misma noche.*

## LO QUE

- Se refiere a cosas cuyo género no está determinado, a conjuntos de cosas, conceptos, etc.
  *Lo que quiero es que me digas la verdad.*
- En frases del tipo: cuantificador + *de* + relativo especificativas.
  *Mucho de lo que tiene no le pertenece a él.*
- En frases del tipo: *todo* + relativo especificativas.
  *Todo lo que trajo fue una botella de vino tinto.*

## LO CUAL

- Se refiere a acciones, frases o conceptos conocidos o supuestos (sin preposición), en frases explicativas: *Empezó a llover, en vista de lo cual, no fuimos de excursión.*
- Se refiere a acciones, frases o conceptos conocidos o supuestos (solo en registros cultos).
  *Eso es algo para lo cual estamos perfectamente capacitados.*
- En frases del tipo: cuantificador + *de* + relativo explicativas.
  *Han pasado cosas increíbles, muchas de las cuales no tienen explicación lógica.*
- En frases del tipo: *todo* + relativo explicativas.
  *Trajo una empanada y algunas cosas para picar, todo lo cual despareció en un santiamén.*

## FRASES RELATIVAS

- Oraciones explicativas.
  - Expresan una característica del antecedente. Son innecesarias para la total comprensión de lo comunicado.
  - Van entre comas (,).
  - Van en indicativo.

  *Los alumnos, que han aprobado, obtendrán el diploma* (= todos).
- Oraciones especificativas.
  - Especifican, concretan o precisan el objeto u objetos a que se refiere el antecedente. Son necesarias para que la información tenga sentido completo.
  - Pueden ir en indicativo, en subjuntivo (cuando el antecedente es desconocido) o en infinitivo (cuando equivale a una oración final).

  *Los alumnos que han aprobado obtendrán el diploma* (= una parte)*./Quiero una casa que tiene ventanas grandes./Quiero una casa que tenga ventanas grandes./No tengo nada que comer.*

# Unidad

## COMPRENSIÓN LECTORA

- **Juan José Millás:** *La obra maestra*
  - **Más de cerca:** actividades y estrategias de control de la comprensión.
  - **Enriquece tu léxico:** actividades y estrategias de ampliación del vocabulario.

## COMPRENSIÓN AUDITIVA

- **Entrevista:** *El as del fútbol*
  - Tareas y estrategias de control de la comprensión.

## COMPETENCIA GRAMATICAL

- **Contenidos específicos**
  - Oraciones causales, consecutivas y temporales.
- **Contenidos generales**
  - Tiempos y modos verbales.
  - Contraste *ser/estar.*
  - Preposiciones.
  - Completa con las expresiones adecuadas.
- **Algo más**
  - Uso de preposiciones, locuciones preposicionales y adverbios de lugar en sentido físico y figurado.

## EXPRESIÓN E INTERACCIÓN ESCRITAS

- **Escribir una carta de denuncia**
  - Exponer un problema y expresar deseos.
- **Redactar un informe**
  - *El planeta en peligro: el Amazonas*

## EXPRESIÓN E INTERACCIÓN ORALES

- **La lengua nuestra de cada día**
  - Expresiones, refranes y frases hechas.
- **Hablando se entiende la gente**
  - **Tertulia:** *Solos y solas, pero contentos*

## RESUMEN GRAMATICAL

- Oraciones causales, consecutivas y temporales.

# Juan José Millás

VIDA Y OBRA

Escritor y periodista español (1946). Empezó la carrera de Filosofía y Letras, pero no la concluyó.

Comenzó escribiendo poesía, pero en 1974 publica su primera novela, *Cerbero son las sombras*, con la que obtiene el Premio Sésamo. Influido por Dostoievski y Kafka en sus inicios, su obra está poblada de personajes corrientes que de repente se ven inmersos en situaciones extraordinarias, que muchas veces lindan con lo fantástico. Para Millás, novela, cuento y periodismo son territorios que se complementan y por los que él transita «llevando materiales de unos a los otros».

Títulos importantes de su obra narrativa son *Visión del ahogado* (1977), *El jardín vacío* (1981), *Papel mojado* (1983), *Letra muerta* (1984), *El desorden de tu nombre* (1988) y *La soledad era esto* (1990), con la que consigue el Premio Nadal.

En 2006 escribió su novela *Laura y Julio* donde están plasmadas sus principales obsesiones: la identidad, el amor, la infidelidad, los celos. Este mismo año fue nombrado doctor *honoris causa* por la Universidad de Turín.

En 2007 publica la novela histórica *El mundo* con la que recibe el Premio Planeta y el Premio Nacional de Narrativa de ese mismo año.

La mayor parte de su obra, traducida a veintitrés idiomas, es de introspección psicológica.

## La obra maestra

Aquel sujeto estaba muy frustrado porque a los cuarenta años no había cumplido el sueño de su vida: publicar una novela. Tampoco la había escrito, pero cómo la iba a escribir, por Dios, teniendo que trabajar como un negro para sacar adelante 5 a la familia. Tampoco trabajaba como un negro, pues tenía un horario de oficina normal, de nueve a seis. Pero al volver a casa leía el periódico (dónde se ha visto un escritor que no lea periódicos), ayudaba a sus hijos con las tareas escolares. Por la noche le gustaba ver la televisión junto a su mujer.

10 En realidad no le gustaba ver la televisión (los escritores, a esa hora, leen o escuchan sinfonías mientras se fuman una pipa), pero se sentía sutilmente obligado a ello por su esposa, que tenía un gran talento para menospreciar, sin que lo pareciera, las tareas intelectuales. Total, que había hecho el esfuerzo 15 de venir a Madrid de joven, para convertirse en un escritor de fama, y en lugar de escribir se había casado con una mujer que astutamente le había alejado de sus verdaderos intereses. Aquel verano en el que cumplió 40 años fue, por fin, capaz de decírselo a sí mismo y escupírselo a ella:

20 -Yo era, de los de mi clase, el que mejores redacciones hacía. Tú eres la responsable de que no me haya convertido en un gran escritor.

Ella se sintió culpable de haber truncado una carrera tan prometedora, pero por la noche, consultando una enciclopedia li- 25 teraria, le hizo ver que muchos escritores no habían triunfado hasta después de los 40. Por otra parte, en algún sitio había oído decir que la novela era un género de madurez. Le propuso, pues, que ese verano se quedara solo en el piso de Madrid mientras ella y los niños se marchaban a la sierra. Un mes ente- 30 ro, escribiendo ocho o nueve horas diarias, sin preocupaciones de orden doméstico, podía ser más que suficiente para alumbrar una obra maestra. De hecho, en la misma enciclopedia vieron algunos casos de novelas realizadas en quince días que habían pasado a la historia de la literatura. Le sobraba, pues, 35 la mitad del tiempo. Aun así, ella se mostró firme en que dis-

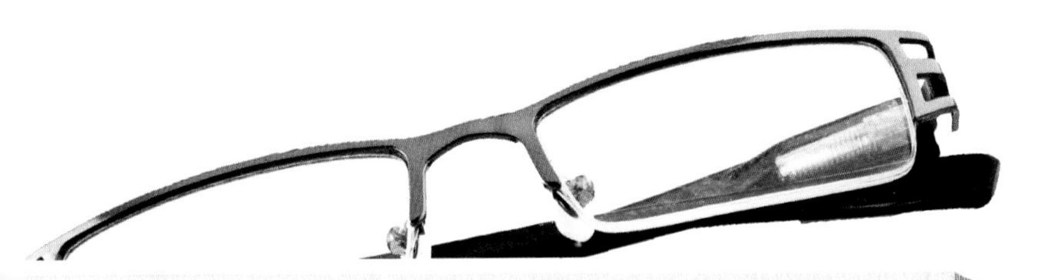

usiera de los dos periodos de quince días, por si le apetecía scribir más de una novela genial.

El primer día de libertad lo empleó, naturalmente, en afilar os lápices (Hemingway, según los libros, no hacía otra cosa) en odiar a su familia. Se sentía tan a gusto paseando en cal- oncillos por el salón, amenazando a la máquina de escribir on disfrutar de ella sexualmente cuando tuviera los lápices punto, que deseó que su mujer e hijos desaparecieran del napa. No quería para ellos ningún mal: solo que se esfumaran le algún modo. Sentado en la terraza, con los pies en la baran- lilla, fumando una pipa detrás de otra mientras contemplaba l crepúsculo, imaginó que un platillo volante descendía en el ueblo de la sierra donde veraneaban y abducía a la familia, ilguero incluido, llevándosela para siempre a otro planeta. Po- lía ver los titulares del periódico: «Familia de escritor afincado n Madrid, raptada por extraterrestres». Pero como no estaba lemostrado que los extraterrestres fueran buenas personas y a su familia no le deseaba ningún daño, solo que desapareciera, prefirió finalmente imaginar una catástrofe natural que destru- yera en cuestión de segundos, sin que les diera tiempo a sufrir, la casita de la sierra con ellos dentro.

Al día siguiente no pudo escribir por culpa de los remor- dimientos; al otro porque le dolía la cabeza; y al cuarto por- que con ese calor no había manera de sacar adelante una obra maestra. A la semana, sin embargo, se miró a los ojos mientras se afeitaba y reconoció que no escribía por falta de talento. Tampoco por eso, la verdad, porque talento le sobraba, sino por pereza. Escribir, en el fondo, era un trabajo de gente sin imaginación, de funcionarios. Así que decidió que era mejor marcharse a la sierra y continuar culpando a su mujer de no ser un genio. Además, si finalmente se producía la abdución, o la catástrofe, y él estaba allí, podría escribir la gran crónica. ¡Qué descanso!

Millás, J. J.: *Cuentos* (adaptado)

## Más de cerca

**1 Señala si es verdadero (V) o falso (F) según lo que escribe el autor en el texto.**

| | V | F |
|---|---|---|
| 1. El protagonista se considera un fracasado en su matrimonio, pues a su edad apenas ha cumplido sus sueños. | ☐ | ☐ |
| 2. Después de la jornada laboral, leía la prensa al igual que los grandes novelistas, para inspirarse. | ☐ | ☐ |
| 3. Se sentía infravalorado por su esposa porque era un intelectual. | ☐ | ☐ |
| 4. Su esposa le hizo saber que a pesar de su edad aún podía tener éxito como escritor. | ☐ | ☐ |
| 5. El protagonista admitió que el único responsable de que su sueño no se hiciera realidad era él mismo. | ☐ | ☐ |

**2 Elige la opción correcta.**

1. **El primer día que se encontró solo en casa...**
   a. imitando a Hemingway, amenazó a su máquina de escribir.
   b. deseó que su familia se evaporara del planeta.
   c. se sentó en la terraza pensando en los extraterrestres para inspirarse.

2. **No quería que su familia sufriera ningún mal, por eso deseó que...**
   a. viniera un ovni y se los llevara a otro planeta.
   b. desapareciera a causa de una breve catástrofe natural.
   c. la casita de la montaña desapareciera y su familia se salvara.

**3 Blog de literatura.**

1. **Participas en un blog sobre la importancia de la literatura en la vida de las personas. Comenta las siguientes cuestiones justificando tu respuesta con ejemplos.**
   - Papel de la literatura como medio de comunicación.
   - Importancia y significado de la literatura en tu vida.
   - Género literario preferido.
2. **Resume brevemente (3 líneas) la última novela que hayas leído.**

# COMPRENSIÓN LECTORA

## Enriquece tu léxico

**1** Relaciona las palabras del texto con sus sinónimos.

| | |
|---|---|
| 1. sujeto | a. trabajo |
| 2. sutil | b. gozar |
| 3. tarea | c. edad adulta |
| 4. convertirse | d. individuo |
| 5. astuto | e. iluminar |
| 6. alejar | f. separación |
| 7. truncar | g. bajar |
| 8. prometedor | h. tenue |
| 9. madurez | i. sagaz |
| 10. doméstico | j. distanciar |
| 11. alumbrar | k. secuestrar |
| 12. amenazar | l. abundar |
| 13. disfrutar | m. transformarse |
| 14. descender | n. reportaje |
| 15. abducción | ñ. casero |
| 16. afincarse | o. advertir |
| 17. raptar | p. holgazanería |
| 18. pereza | q. interrumpir |
| 19. sobrar | r. domiciliarse |
| 20. crónica | s. promisorio |

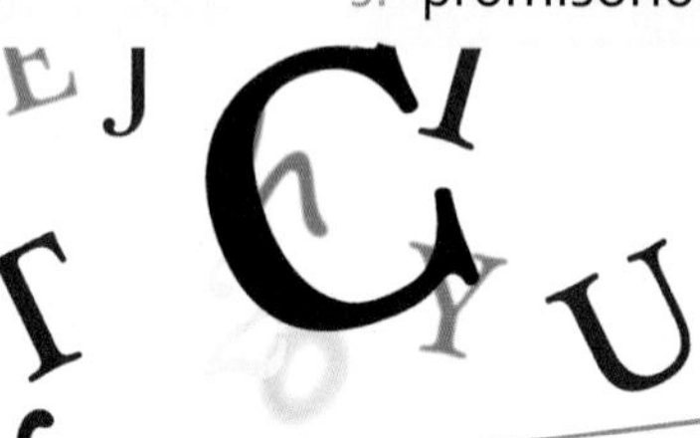

**2** Encuentra el antónimo.

| | |
|---|---|
| 1. frustración | a. apreciar |
| 2. talento | b. fracasar |
| 3. menospreciar | c. logro |
| 4. astuto | d. ascender |
| 5. triunfar | e. ingenuo |
| 6. alumbrar | f. consuelo |
| 7. descender | g. exculpar |
| 8. remordimiento | h. cortedad |
| 9. pereza | i. diligencia |
| 10. culpar | j. apagar |

REAL ACADEMIA ESPAÑOLA

Diccionario de la lengua española

**3** ¿Qué sentido tienen estos términos en el texto de Millás? Elige la opción correcta.

**Afilar**

1. tr. Poner en tono justo los instrumentos musicales con arreglo a un diapasón o acordarlos bien unos con otros.
2. tr. Sacar filo o hacer más delgado o agudo el de un arma o instrumento.

**Género**

1. m. Cosa generada o producida.
2. m. Clase o tipo a que pertenecen personas o cosas.

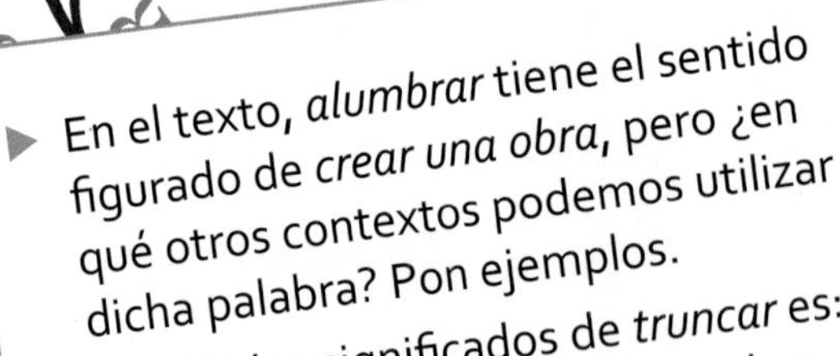

### ¿Y tú?

- En el texto, *alumbrar* tiene el sentido figurado de *crear una obra*, pero ¿en qué otros contextos podemos utilizar dicha palabra? Pon ejemplos.
- Uno de los significados de *truncar* es: «Interrumpir una acción o una obra, dejándola incompleta», pero ¿sabes qué otros significados tiene?
- ¿Algún sueño, proyecto o plan se han visto truncados en tu vida? Explica cómo fue.

**4** **Completa cada frase con uno de los siguientes términos. Haz las transformaciones necesarias.**

ingenuo ■ sujeto ■ holgazanería ■ madurez ■ truncarse ■ astucia ■ alumbrar
doméstico ■ exculpar ■ sutil ■ funcionario ■ aprecio ■ transformarse ■ individuo
domiciliarse ■ advertir ■ diligente ■ atareado ■ prometedor ■ gozar

1. Su carrera política ............................ cuando se descubrió que había sido sobornado.
2. El trabajo ............................ es un gran peso para la mujer que quiere hacer carrera profesional.
3. El secreto de la felicidad está en ............................ de los pequeños placeres que nos ofrece la vida.
4. Nunca puedo tomar un café con él, está muy ............................, siempre corriendo de acá para allá.
5. Cuando llegó la Policía, aquel ............................ estaba con la víctima en el sótano del edificio.
6. Japón no es un país para la ............................, la ociosidad está muy mal vista.
7. Por fin respiró tranquilo cuando el Jurado le comunicó que le ............................ de todos los cargos.
8. A principios del siglo XX América era una tierra ............................ para muchos europeos.
9. Era un ............................ sin escrúpulos y por eso amasó una gran fortuna en poco tiempo.
10. La tomábamos por ............................, pero cuando se trataba con ella de temas económicos descubríamos su ............................ .
11. Con solo diecisiete años no tienes ............................ para enfrentarte tú sola al mundo.
12. En casa de mis abuelos, los días que no había luna llena, cuando salíamos por la noche, nos ............................ con una linterna.
13. Nicolás no se exaltaba, siempre aconsejaba de forma tan ............................ que daba gusto escucharle.
14. El número de ............................ públicos es excesivo, es necesario reducirlos a la mitad para que el Estado sea sostenible.
15. Constantino recibía constantes muestras ............................ por los excelentes artículos que escribía.
16. Durante la metamorfosis, el gusano de seda ............................ en mariposa.
17. A pesar de las ............................ de las autoridades de que conducir bajo los efectos del alcohol es peligroso, hay personas que siguen haciendo caso omiso.
18. Si quieres votar en las elecciones municipales, tienes que estar ............................ en el ayuntamiento correspondiente.
19. Las hormigas son insectos muy ............................, se pasan todo el verano haciendo acopio de alimentos para cuando llegue el invierno.

**5** **Completa.**

| nombre | adjetivo | verbo |
|---|---|---|
| ▶ alejamiento | ▶ ................................ | ▶ ................................ |
| ▶ ................................ | ▶ amenazador | ▶ ................................ |
| ▶ frustración | ▶ ................................ | ▶ ................................ |
| ▶ ................................ | ▶ triunfador | ▶ ................................ |
| ▶ culpa | ▶ ................................ | ▶ ................................ |

# El as del fútbol

Audio descargable en tuaulavirtual
www.edelsa.es

Pista 3

Actividades de ayuda para la preparación del DELE.

**1** Vas a escuchar una entrevista sobre un documental acerca de Maradona, el as del fútbol. Después, redacta un texto expositivo (150 palabras) con los puntos principales y expresa, de forma justificada, tu opinión al respecto.

**2** Vuelve a escuchar el texto y completa estas anotaciones que se han tomado con cuatro de las diez opciones que te damos.

| | |
|---|---|
| a. millones de personas | f. la pasión incondicional |
| b. en sus admiradores | g. en los espectadores |
| c. la dimensión global | h. un personaje universal |
| d. la música del reportaje | i. un revolucionario |
| e. un emblema futbolístico | j. la ópera prima |

1. La figura de Maradona evoca, ......................., sentimientos tan fuertes como el fervor, la locura o la emoción.
2. ............................ contiene temas de diferentes artistas. Es un homenaje al futbolista.
3. Uno de los aspectos que refleja el documental es ............................ por este fenómeno del fútbol.
4. A pesar de conocer bien a Maradona, J. Vázquez se da cuenta de que el jugador es ........................

**3** ¿Lo has entendido bien? Elige la opción correcta.

**1**
- a. Maradona es considerado como un «virus» por sus seguidores.
- b. Son indispensables las imágenes para comprender el fanatismo que provoca Maradona.
- c. El realizador J. Vázquez definió con su documental «el fenómeno Maradona».

**2**
- a. Maradona y Pelé tuvieron un duelo ante la gente en Río de Janeiro.
- b. Han construido una iglesia con el nombre de Maradona.
- c. La banda sonora de la película incluye música no publicada anteriormente.

**3**
- a. A Maradona se le quiere sin condiciones.
- b. Maradona estuvo en coma tres años por su locura.
- c. En Cuba hay un grupo de revolucionarios denominados «maradonianos».

## 1 Oraciones causales, consecutivas y condicionales

**Transforma cada una de las siguientes frases en una causal, una consecutiva y una temporal con los conectores entre paréntesis. Haz las transformaciones necesarias sin perder el sentido de la frase.**

1. Tengo una cita. Me hacen esperar. Me pongo nervioso. (*hasta tal punto, de tanto como, cuando*).
2. Quiere ver un programa que le guste. No encuentra nada interesante. Cambia de canal constantemente. (*como, así que, al*).
3. Miente a propósito. Quiere ver la reacción de los demás. (*porque, de ahí que, cada vez que*).
4. Procura evitar situaciones comprometidas. No le gusta crearse enemistades. (*en vista de que, de modo que, siempre que* -puede-).
5. Vio degollar a un pollo. Le impresionó muchísimo. No ha vuelto a comer pollo. (*tanto... que, ya que, desde que*).
6. Es consciente de sus propios errores. Perdona a los demás fácilmente. (*habida cuenta de, tan... que, al* + infinitivo).
7. Tenía la garganta irritada. Solo podía tomar algo líquido. (*de tal forma que, en vista de que, mientras*).
8. Es muy constante. No abandona las tareas que acomete. Siempre termina todas las tareas. (*por, luego, hasta que*).
9. Le hacen bastantes cumplidos. Es muy tímida. Se sonroja enseguida. (*de... que, así que, en cuanto*).
10. Su abuelo murió repentinamente. No puede conciliar el sueño con facilidad. (*por culpa de, dado que, tras*).

## 2 Completa las frases temporales, consecutivas y causales del texto con la forma verbal que corresponda.

### Confesiones de un fumador cincuentón

Confieso que cuando (*fumar*) (1) ............................ mi primer cigarrillo no me gustó nada la experiencia y me sentí fatal. ¿Por qué seguí fumando, entonces? Supongo que porque en aquella época (*querer, nosotros*) (2) ............................ parecer mayores y el cigarrillo (*ser*) (3) ............................ el signo externo de nuestra rebeldía, ya que lo (*asociar, nosotros*) (4) ............................ a caracteres fuertes e independientes. Tan influidos estábamos por el cine americano que no (*poder*) (5) ............................ sentirnos protagonistas de nuestra propia película sin un cigarrillo entre las manos.

Yo era un joven tímido e inseguro de mí mismo, así que (*seguir*) (6) ............................ encendiendo cigarrillo tras cigarrillo cada vez que (*querer*) (7) ............................ disimular y dar una imagen diferente ante los demás. Como, además, en aquella época (*vender*) (8) ............................ tabaco hasta a los niños pequeños, no era difícil conseguirlos. ¿Que no tenías dinero para una cajetilla? Pues entonces comprabas pitillos sueltos. Fumar era algo tan normal que (*poder*) (9) ............................ hacer en todas partes, incluso en los autobuses urbanos que cogíamos para volver a casa del colegio. Eso sí, en casa no fumaba, no porque me lo (*prohibir*) (10) ............................ expresamente, sino porque (*poder*) (11) ............................ parecer un desafío a la autoridad paterna, habida cuenta de que -como símbolo visible de poder que era- solo (*corresponder*) (12) ............................ mantener un cigarrillo entre los dedos al cabeza de familia. Por eso mismo las jovencitas casaderas que flirteaban entre bocanadas de humo y miradas lánguidas (*soler*) (13) ............................ dejar de fumar nada más (*cambiar*) (14) ............................ de estado, mucho antes de que sus maridos se lo (*prohibir*) (15) ............................ .

Sin embargo, ahora han cambiado completamente las tornas. Los líderes ya no fuman -o no lo hacen en público- porque (*ser*) (16) ........................... conscientes de que daña su imagen. No es que (*estar*) (17) ........................... preocupados por la influencia negativa que pudieran tener en los más jóvenes, sino porque (*saber*) (18) ........................... muy bien que fumar ya no se lleva. De ahí que (*dejar*) (19) ........................... de fumar, pues su ambición (*ser*) (20) ........................... mayor que su dependencia de la nicotina.

Lo que no sé es qué voy a hacer yo a partir del día uno, en cuanto (*entrar*) (21) ........................... en vigor la prohibición de fumar en nuestra empresa. Ya he intentado varias veces dejar de fumar, pero sin éxito y, dado que la fuerza de voluntad no (*ser*) (22) ........................... la mayor de mis virtudes, voy a tener que comprar todas las existencias de parches de nicotina que encuentre en la farmacia. ¡Recuerdo que cada vez que (*estar*) (23) ........................... una temporadita sin fumar comía tantos chicles y caramelos que (*engordar*) (24) ........................... un montón de kilos!

**3** **Indicativo o subjuntivo**
**Completa el texto con los tiempos y modos adecuados.**

## Jimmie Ángel

El descubrimiento accidental de la catarata más alta del mundo hecho por Jimmie Ángel, natural de Misuri, Estados Unidos, forma parte de la mitología de la Gran Sabana.

En el año 1921, Jimmie Ángel (*conocer*) (1) ........................... al explorador y geólogo de Alaska J.R. McCraen, quien le (*hablar*) (2) ........................... de una montaña en América del Sur que (*tener*) (3) ........................... un río de oro.

Obsesionado por la idea de encontrar ese tesoro, Ángel (*dedicar*) (4) ........................... el resto de su vida a buscarlo. McCraen solo le (*dar*) (5) ........................... indicaciones verbales mientras volaban, pero Jimmie (*estar*) (6) ........................... seguro de que aquel lugar estaba en la cima del Auyantepuy. En 1930 regresó con el ingeniero de minas Dick Curry, pero no (*conseguir*) (7) ........................... aterrizar. El 10 de octubre de ese mismo año volvió a intentarlo de nuevo, pero el mal tiempo le (*impedir*) (8) ........................... aterrizar. En 1935 (*convencer*) (9) ........................... al geólogo F.I. Martín para que (*conseguir*) (10) ........................... financiación económica de la Case Pomeroy Company. Aterrizaron en el valle Kamarata y, el 25 de marzo de 1935, (*descubrir*) (11) ........................... el cañón de Auyantepuy (conocido en la actualidad como el cañón del Diablo). «(*Ver*) (12) ........................... una catarata que casi me (*hacer*) (13) ........................... perder el control del avión -comentó Jimmie Ángel- pues (*parecer*) (14) ........................... caer del mismo cielo, aunque no (*tener*) (15) ........................... la suerte de poder aterrizar».

Por mucho que lo (*intentar*) (16) ..........................., no (*poder*) (17) ........................... encontrar un lugar en el que aterrizar, así que en 1937 (*hacer*) (18) ........................... un ascenso con el capitán de barco y experto topógrafo Félix Cardona Heny, para buscar algún sitio donde aterrizar. Después (*organizar*) (19) ........................... su quinto intento, en esa ocasión acompañado por su esposa, Marie Sanders, Gustavo Heney y Joe Meacham. El 9 de octubre (*conseguir*) (20) ........................... aterrizar en la cima con un monoplano flamingo, *El Río Caroní*, pero (*hundirse*) (21) ........................... en tierra pantanosa, y él y su grupo (*tener*) (22) ........................... que descender a pie. El viaje (*durar*) (23) ........................... once días pero, afortunadamente, Gustavo Heny estaba familiarizado con el terreno y (*conseguir*) (24) ........................... llevar al grupo sano y salvo hasta Kamarata.

A pesar de su continua búsqueda del río de oro, Jimmie Ángel nunca encontró aquel lugar. (*Morir*) (25) ............................ en Panamá en 1956 como consecuencia de las heridas sufridas en un accidente aéreo. (*Dejar*) (26) ............................ instrucciones para ser incinerado y para que sus cenizas (*esparcirse*) (27) ............................ en la catarata que lleva su nombre: su deseo fue cumplido.

Guía Turística de Venezuela (adaptado)

## 4 ¿*Ser* o *estar*?

**Sustituye los verbos en cursiva por *ser* o *estar*. Haz las transformaciones necesarias.**

1. *Parece* preferible que la nueva ley entre en vigor a partir de enero del próximo año.
2. Después de la complicada operación no se ha recuperado del todo, *se siente* muy débil.
3. Al público le gustó tanto el concierto que *permaneció* de pie aplaudiendo durante más de cinco minutos.
4. Mucha de la ropa que compramos *la hacen en* China, porque la mano de obra es más barata.
5. A pesar de que no tenían muchas esperanzas en que su petición saliese adelante, ahora *se sienten* muy contentos por haberlo intentado.
6. ¿Podría decirme si el Museo Picasso *queda* cerca de aquí?
7. La oficina *la tiene* en la calle Mayor, cerca de la plaza Cervantes.
8. Le han buscado por todas partes, pero el tipo *se encuentra* en paradero desconocido.
9. *Se hallaba* bajo los efectos de una gran borrachera y dijo no recordar nada de lo que había pasado.
10. Al final no me has dicho dónde va a *tener lugar* la conferencia.

## 5 Preposiciones

**Completa con la preposición que falta.**

1. Ha logrado .............. sus propios medios todo lo que se propuso de joven.
2. El motor .............. todos los proyectos de investigación es Juan con su inagotable energía.
3. Ha enriquecido .............. todo el pueblo con la genial idea de instalar allí una fábrica de embutidos.
4. La casa era preciosa, la luz penetraba a raudales .............. los grandes ventanales.
5. El Sr. Jiménez es el representante de una empresa .............. sede en Nueva York.
6. No me lo explicó .............. detalle, pero *grosso modo* vino a decir que se iba de aquí porque estaba harto de vivir rodeado de mediocridad.
7. Larra era también conocido .............. el pseudónimo de «Fígaro».
8. Tiene un hijo que ya está .............. edad de ir a la universidad.
9. Yo estoy a favor .............. que no haya discriminación por nada en el mundo laboral.
10. .............. que sus padres faltan, ella sola lleva .............. cuestas el peso de toda la casa.
11. No pudimos hacerle cambiar de idea, estaba convencido .............. que tenía razón y se mantuvo en sus trece.
12. Hay una correspondencia directa .............. el cáncer de pulmón y el tabaco.
13. En esta sociedad de consumo, llenamos las casas de miles de objetos que no sirven .............. nada.
14. Si te limitas .............. hacer lo que te pide, seguro que no te importunará.

15. No basta .............. aprenderse la gramática de memoria, es necesario, después, practicar la lengua.
16. El secreto de esta receta consiste .............. asar la carne a fuego muy lento por espacio de cuatro horas
17. Es muy dado .............. la vida alegre. Todo el día de fiesta en fiesta, de celebración en celebración.
18. Se sentía capaz y con energías suficientes .............. sus cincuenta años .............. empezar una nueva carrera universitaria.

## 6 Completa el texto con estas expresiones.

¡qué tío! ■ hombre ■ venga ■ pues hombre ■ ¡eh!
bueno ■ anda ■ vaya ■ pues

■ Si vieras qué pocas ganas tengo de moverme de aquí... Mejor nos quedamos hasta luego más tarde.
❑ ¿Ahora sales con esas? (1) ...................., mujer, que tenemos que reunirnos con los otros. Verás lo bien que lo pasamos.
■ No sé yo qué te diga.
(2) .................... lo que sea decidirlo rápido.
● Nos quedamos –concluyó Sebastián–.
Alicia dijo:
❑ ¡Qué lástima, (3) ....................; cada uno por su lado!
■ Yo a lo que hubiera ido de buena gana es a bailar a Torrejón.
◗ ¿Otra vez? –dijo Mely–. (4) .................... . Se te mete una idea en la cabeza y no te la saca ni el Tato.
■ ¿Y esos, qué hacen?
Miguel se aproximó al grupo de Tito. Estaban cantando.
❑ ¡(5) ...................., que os vengáis para arriba!
◆ ¿Cómo dices? No te hemos oído –contestaba Daniel–. Lucita se reía.
❑ (6) ...................., menos pitorreo. Que se hace tarde. Decidid.
■ (7) ...................., a ver si va a haber aquí más que palabras. Dejaos en paz ya de choteos y decidid si no venís.
◆ (8) ...................., según adónde sea...
■ (9) ...................., está visto que con vosotros no se puede contar. No tengo ganas de perder más tiempo. Allá vosotros con lo que hagáis.

Sánchez Ferlosio, R.: *El Jarama* (adaptado)

**Algo más**

### Preposiciones

**Indican posición física o figurada**

▶ Sobre: *Tus gafas están sobre la mesa (=encima de la mesa). Hay que estar todo el día sobre Juanito para que no haga trastadas.*

▶ Bajo: *El perro está bajo la cama (=debajo de la cama). Te espero bajo el reloj de la plaza.*

**Expresan anterioridad o posterioridad física o figurada**

▶ Ante: *¿Cómo se presentó ante él con esas pintas? Ante todo, está la salud.*

▶ Tras: *Se escondió tras la cortina (=detrás de la cortina). Siempre va corriendo tras los honores. Tras la tempestad (=después de la tempestad) llega la calma.*

(En sentido figurado solo podemos utilizar las preposiciones simples. No pueden ir precedidas de otra preposición)

## Algo más

### Locuciones preposicionales

**Indican posición de algo o alguien respecto a otro**

Son equivalentes en su sentido a las preposiciones simples.
Se pueden utilizar con pronombres personales: *mí*, *ti*, etc.

- Encima de: *Encima del armario (=sobre el armario) había una maleta.*
- Debajo de: *Pon un hule debajo del mantel (=bajo el mantel).*
- Delante de: *No vi nada porque se sentó un tipo enorme delante de mí.*
- Detrás de: *Se refugió detrás de mí.*

(Las construcciones con posesivos, como «detrás mío», son incorrectas)

## Algo más

### Adverbios

**Indican posición física**

- Encima: *Déjalo ahí encima.*
- Debajo: *¿No lo ves? Está debajo.*
- Delante: *Sigue delante en la clasificación.*
- Detrás: *Está ahí detrás.*

**Indican dirección de un movimiento o espacio sin compararlo o relacionarlo con nada**

- Arriba: *Estoy arriba. Sube si quieres.*
- Abajo: *Estoy abajo, en el sótano.*
- Adelante: *Sigue adelante. No te detengas. Adelante, pasa.*
- Atrás: *No pienso dar un paso atrás.*

**7** Completa con *sobre, bajo, ante* o *tras, encima (de), debajo (de), delante (de), detrás (de), arriba, abajo, adelante* o *atrás.*

1. Los vecinos de .................. se quejan del ruido que hacemos por las mañanas.
2. .................. planearlo todo minuciosamente, puso en marcha su maléfico plan.
3. Hace como que no sabe que sus hijos fuman, aunque lo hacen .................. sus propias narices.
4. Tenemos un futuro espléndido .................. nosotros si nos mantenemos unidos.
5. Me dijo que vivía en el piso de .................., pero no que no había ascensor.
6. No te preocupes, que tienes un magnífico equipo .................. apoyándote.
7. .................. las dificultades, dio marcha .................. .
8. ¡Qué frío hace! Debemos de estar a dos grados .................. cero por lo menos.
9. Lo que desea, .................. todo, es ganar las elecciones.
10. No dé ni un solo paso .................. . Si se acerca, dispararemos .................. usted.
11. Deja la chaqueta .................. esa silla.
12. Lo hizo .................. presión. No por voluntad propia.
13. El faro proyectaba su luz .................. el acantilado.
14. Te espero aquí .................. No tengo ganas de ir .................. otra vez.
15. Para llevarse a mi hija tendrá que pasar por .................. mi cadáver.

# EXPRESIÓN E INTERACCIÓN ESCRITAS

## Antes de nada

### La fecha

Es necesario indicar el lugar, día, mes y año en que se escribe la carta.
La fecha puede aparecer a continuación del membrete o antes del saludo.

- **El lugar o población:** no se indica si coincide con el que aparece en el membrete.
- **El día:** en números.
- **El mes:** siempre con minúsculas y sin abreviar.
- **El año:** aparecen las cuatro cifras sin punto.

17 **de** febrero **de** 2016

Madrid, 30 **de** marzo **de** 2015

Cáceres, a 7 **de** septiembre **de** 2013

### El nombre del destinatario

- Si el destinatario es una persona física: *Don/Doña* + nombre + apellidos.
- Si el destinatario es una empresa o sociedad: *Señores* + nombre de los socios o la razón social (nombre de la empresa).

**Abreviaturas más utilizadas**

D. don
Dña. doña
Sr. señor
Sra. señora
Sres. señores
Sras. señoras

# Estafados en un centro de belleza

## Escribe una carta de denuncia

- Consideras que te han estafado en un centro de belleza. Has gastado un montón de dinero sin resultados apreciables, por lo que decides escribir al defensor del consumidor. En la carta deberás:
  - Dar información personal conservando el anonimato.
  - Denunciar los hechos.
  - Explicar los motivos que te llevaron a acudir a ese centro y los daños económicos y morales que te han ocasionado.
  - Expresar tu deseo de que otras personas no sean víctimas de su charlatanería.
  - Insistir en que hay que tomar medidas legales contra semejantes centros de belleza.

**Recursos**

**Presentación y exposición del problema**
*Me pongo en contacto con ustedes para informarles/poner en su conocimiento una serie de acontecimientos/percances ocurridos...*
*El motivo de esta carta es denunciar los desagradables incidentes ocurridos...*
*... escribo en relación a unos graves incidentes...*

**Expresiones**
*Está claro que...*
*Ya es hora de que...*
*Habría que preguntarse si...*
*No cabe duda de que...*

**Expresar deseos**
*Espero y es mi deseo que hechos como este...*
*Confío en que lo sucedido...*

# El planeta en peligro: el Amazonas

«A pesar de que el Amazonas muestra una vida exuberante, el ecosistema de la selva tropical lluviosa es muy delicado y cuando se despeja el terreno para dedicarlo a la agricultura, los nutrientes poco profundos se filtran y las lluvias los arrastran dejando a su paso un paisaje desértico».

Guía Turística de Venezuela, Guías Océano

La desertización del planeta, el aumento del agujero de la capa de ozono, el cambio climático y un largo etcétera son algunos de los temas de mayor actualidad, ya que nos afectan a todos hoy día y representarán un problema serio para las generaciones futuras.

## Redacta un informe

- Redacta un informe de 150-200 palabras con datos reales sobre el peligro que corre nuestro planeta. Deberás tener en cuenta:
  - El papel que juega la superpoblación del planeta en el equilibrio ecológico.
  - La importancia de las políticas de protección del medio ambiente (Protocolo de Kioto, etc.).
  - La importancia del reciclaje.
  - Las organizaciones ecologistas y su contribución a la preservación del medio ambiente.

# EXPRESIÓN E INTERACCIÓN ORALES

# La lengua nuestra de cada día

## Cada oveja con su pareja

**1** Relaciona las expresiones con su definición.

1. Estar en ascuas.
2. No saber de la misa la media.
3. De higos a brevas.
4. En casa del herrero, cuchillo de palo.
5. A caballo regalado no le mires el diente.

a. No estar enterado de cierta cosa de la que se debería estar
b. Muy de tarde en tarde.
c. Donde hay facilidad de hacer o conseguir una cosa sue haber falta de ella.
d. Lo que es recibido como regalo debe ser acogido sin repa aunque tenga algún defecto.
e. Estar impaciente o desazonado.

## Un paso más

**2** ¿Qué expresión te parece más adecuada para cada contexto?

1. Ayer, María recibió muchos regalos de sus amigos, ya que era su cumpleaños. Algunos no le gustaron, sin embargo, no quiere cambiarlos, ya que ella…
   a. estaba en ascuas.
   b. piensa que a caballo regalado no le mires el diente.
   c. cree que es mejor de higos a brevas.

2. Alberto es un gran arquitecto, tiene muchas ideas e iniciativa, pero todavía no ha diseñado su propia casa. Como dice el refrán…
   a. más vale tarde que nunca.
   b. en casa del herrero, cuchillo de palo.
   c. no sabe de la misa la media.

3. Una de mis mejores amigas se llama Ana, es alemana y vive en Berlín. Nos gusta estar juntas, pero a causa de la distancia…
   a. nos vemos de higos a brevas.
   b. estamos en ascuas.
   c. no sabemos de la misa la media.

## En otros lugares

**3** ¿Existe alguna de las expresiones anteriores en tu lengua? En caso negativo, ¿qué se utiliza para decir…?

- Muy de tarde en tarde.
- No estar enterado de algo que se debería saber.
- Estar impaciente o desazonado.

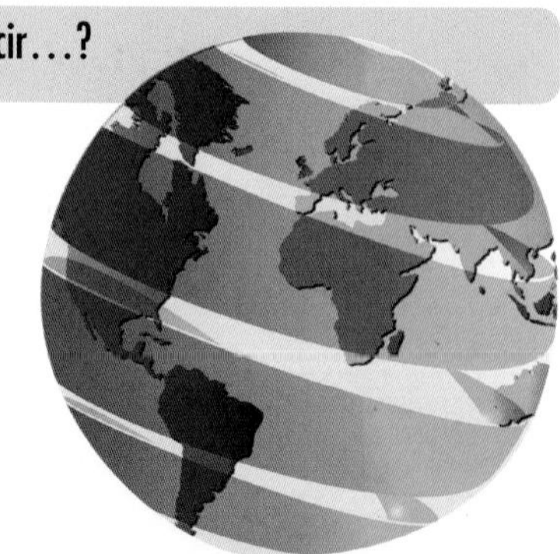

# Hablando se entiende la gente

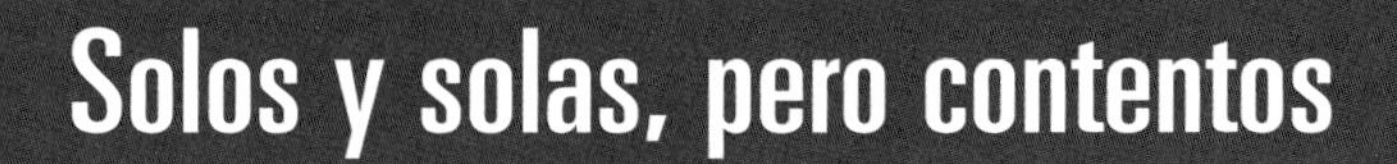


«(...) La socióloga Constanza Street habla de la "complejización de la vida social y el desarrollo de trayectorias biográficas en las que cada vez más se privilegian la libertad individual, la autonomía y la preservación del espacio propio"».

«Ahora las exigencias son mayores y la gente piensa más en sí misma. Y al hacerlo, se valora mucho más como individuo. Esto hace que sea muy difícil que uno aguante a alguien con quien no está bien».

«En Argentina son un fenómeno en crecimiento: gente que elige la soltería como opción de vida. Un factor de peso son los cambios que en las últimas décadas se han producido en el concepto tradicional de familia (...)».
«En la medida en que el hombre y la mujer pueden acceder en pie de igualdad al mercado de trabajo, la familia deja de cumplir su sentido fundamental de dar protección y seguridad».

Sotelo, S.: *La Nación Revista* (adaptado)

## Intervienen

- Una empresaria defensora de su soltería.
- Un psicólogo a favor del matrimonio y la familia.
- Una trabajadora social defensora de sus convicciones espirituales o filosóficas.
- Un sociólogo piensa que la familia desaparecerá tal y como la concebimos hoy y aparecerán otras forma de relación.

## Prepara tu intervención

- Elige uno de los papeles anteriores y, tras leer lo que dice S. Sotelo, reflexiona sobre el tema desde el punto de vista del papel que representas. Toma notas.

## Tertulia

Comentad los siguientes temas:

- El hecho de que un número considerable de personas vivan solas. Es un avance/un retroceso social.
- Hay mayores rupturas matrimoniales hoy que en épocas anteriores. Causas.
- Es positivo que la gente piense más en sí misma.
- Las experiencias sentimentales al margen de la pareja son igual de satisfactorias.

## Recursos

**Particularizar:** *en mi caso, para mí, según lo que yo, etc.*
**Pedir aclaraciones:** *si he comprendido bien..., ¿quiere decir que...?, ¿le importaría volver a...?, etc.*

# RESUMEN GRAMATICAL

## CAUSALES, CONSECUTIVAS Y TEMPORALES

### EXPRESIÓN DE LA CAUSA

- **Con infinitivo**
  *porque, a/por causa de que, puesto que, dado que, ya que, debido a que, como* (inicial), *por culpa de que, gracias a que, es que* (como excusa).
  **Otras partículas y locuciones causales**
  - pues (posterior): *Los niños no podrán disfrazarse, pues están resfriados.*
  - como quiera que: *Como quiera que tenía libre el fin de semana, se fue de excursión.*
  - en vista de que/visto que: *En vista de que/Visto que no se entendían, se separaron.*
  - habida cuenta de que: *Habida cuenta de que me lo impone el presidente del partido, dimitiré.*
    de + adjetivo/participio + que + *ser/estar*: *No puedo moverme de cansado que estoy.*
    de + tan + adjetivo/participio + que/como + *ser/estar*: *De tan cansado como estoy, no puedo ni moverme.*
  - de tanto/a/s como/que: *De tanto como lo he usado, está estropeadísimo.*
  - que (tras órdenes): *No vayas al cine, que aún están echando la misma película.*
  - cuando: *Algo le habrás hecho cuando te ha castigado.*
- **Con subjuntivo:** solo si expresan una falsa causa.
  - *no* + en vista de que, por culpa de que, debido a que, por razón de que, a causa de que, gracias a que.

  **Otras partículas y locuciones causales**
  - no porque: *Resulta impertinente no porque sea un maleducado, sino porque está nervioso.*
  - no es que: *Se ha ido, pero no es que esté enfadado.*
- **Con infinitivo o con nombre**
  - por + infinitivo: *Se chocó por conducir imprudentemente.*
  - dado, a/por causa de, en vista de, por culpa de, debido a, por razón(es) de, habida cuenta de, de + nombre: *Dada la cuantía de la deuda, decidimos pagarla a plazos.*
  - gracias a + nombre/pronombre, de + infinitivo + adverbio, a fuerza de + infinitivo/nombre: *A fuerza de repetirlo una y otra vez ha conseguido aprenderse el poema.*

### EXPRESIÓN DE LA CONSECUENCIA

- **Con infinitivo**
  *luego, así que, por eso, por (lo) tanto, por consiguiente, en consecuencia, consecuentemente.*
  **Otras partículas y locuciones consecutivas**
  - conque, así pues: *No querían darme el dinero, conque exigí ver al director.*
  - hasta tal punto, a tal extremo: *Llegaron a tal extremo de desconfianza, que tuvieron que separarse.*
  - de [tal] forma/manera/modo/que: *Son encantadores, de modo que lo pasamos muy bien.*
  - como para: *Aquellas calles por las que nos metimos eran como para volverse loco.*
  - tal/es + nombre + que: *Tuvieron tal discusión que no se hablan.*
  - tan + adjetivo/adverbio + que: *Está tan desmoralizado que no sale de casa.*
  - tanto/a/s + nombre/verbo + que: *Le hicieron tantos reproches que se quedó sin saber qué decir.*
  - de + tanto/a/s + nombre/adjetivo + que: *No pudimos comprar nada de tanto desorden que había.*
  - ser de un + adjetivo + que (coloquial): *Es de un aburrido que nadie lo aguanta.*
  - ..., pues (final): *Son ya las doce. Vámonos, pues.*

- **Con subjuntivo:** solo si expresan una falsa causa.
  - de ahí/aquí que: *Es un abogado muy bueno, de ahí que tenga tanto prestigio.*
- **Solo si expresan una falsa consecuencia**
  - *no* + tal + nombre + que (irreal): *La discusión no fue tal que no se hablen.*
  - *no* + tan + adjetivo/adverbio + que (irreal): *No es tan difícil que no se pueda hacer.*
  - *no* + tanto + nombre/verbo + que (irreal): *No hay tanta gente que no se pueda entrar.*
  - como para que: *No es tan barato como para que nos lo compremos.*
- **Con infinitivo o con nombre**
  - hasta + infinitivo: *Comió hasta explotar.*

## EXPRESIÓN DE LA TEMPORALIDAD

- **Con infinitivo:** si se refieren al presente o al pasado.

  *cuando, en cuanto, cada vez que, siempre que, desde que*, a que, hasta que (no), hasta tanto que, después de que*.*

  **Otras partículas y locuciones temporales**
  - no bien, apenas, así que, tan pronto como: *Apenas llegaron, empezó el festival.*
  - a medida que, conforme, según: *A medida que crece, pinta mejor.*
  - una vez que, luego (de) que: *Luego que hubo hervido, lo retiré del fuego.*
  - mientras (que), en tanto (que)**: *Mientras pones la mesa, yo prepararé la ensalada.*
- **Con subjuntivo**
  - antes de que: *Se marchó antes de que llegáramos.*
- **Las mismas partículas que las anteriores si se refieren al futuro**
  - *Cuando/Tan pronto como lleguen, empezará el festival.*
  - *Conforme se ejercite, pintará mejor.*
  - *Lo retiraremos del fuego una vez que/después de que hierva.*
  - *En tanto que me ayudes me sentiré mejor.*
- **Con infinitivo o gerundio:** cuando el sujeto es el mismo.
  - hasta, después de, antes de, al + infinitivo: *Al no haber llegado a tiempo, perdieron todo el primer acto.*
  - tras: *Tras haber dicho eso, cogió y se marchó.*
  - Gerundio simple (acción simultánea): *Mi padre se duerme viendo el telediario.*
  - Gerundio compuesto (acción anterior): *Habiendo visto el telediario, se queda dormido.*



* Referida al pasado, el verbo de la oración subordinada también puede ir en modo subjuntivo.
**Aunque se refiera al futuro va en indicativo porque con subjuntivo adquiere valor condicional. (+ subjuntivo condic.).

Fachada pricipal. Congreso de los Diputados, Madrid

# Unidad 4

## COMPRENSIÓN LECTORA

- **Antonio Muñoz Molina:** *Todo lo que era sólido*
  - **Más de cerca:** actividades y estrategias de control de la comprensión.
  - **Enriquece tu léxico:** actividades y estrategias de ampliación del vocabulario.

## COMPRENSIÓN AUDITIVA

- **Entrevista:** *Toros y matadores*
  - Tareas y estrategias de control de la comprensión.

## COMPETENCIA GRAMATICAL

- **Contenidos específicos**
  - Oraciones concesivas y finales.
- **Contenidos generales**
  - Tiempos y modos verbales.
  - Contraste *ser/estar*.
  - Preposiciones.
  - Completa con las expresiones adecuadas.
- **Algo más**
  - Uso de preposiciones y locuciones preposicionales de tiempo y lugar.

## EXPRESIÓN E INTERACCIÓN ESCRITAS

- **Escribir una carta de protesta**
  - Exponer un problema, exigir una solución o indemnización, exigir una respuesta.
- **Redactar un texto expositivo**
  - *Informar sobre la realidad: la influencia de la cultura*

## EXPRESIÓN E INTERACCIÓN ORALES

- **La lengua nuestra de cada día**
  - Expresiones, refranes y frases hechas.
- **Hablando se entiende la gente**
  - **Tertulia:** *La moda, un clásico del espíritu*

## RESUMEN GRAMATICAL

- Oraciones concesivas y finales.

# Antonio Muñoz Molina

VIDA Y OBRA

Escritor español (1956). Estudió Periodismo en Madrid, y se licenció en Historia del Arte en Granada. Inició su trayectoria literaria recopilando sus artículos periodísticos que reunió en dos libros de ensayos titulados *El Robinsón urbano* (1984) y *Diario del Nautilus* (1985).

Publicó su primera novela en 1986, *Beatus Ille*, galardonada con el Premio Ícaro. Su segunda obra, *El invierno en Lisboa* (1987), fue merecedora del Premio Nacional de Narrativa y del Premio de la Crítica en 1988. Su siguiente obra, *Beltenebros* (1989), una novela de amor, intriga y de bajos fondos en el Madrid de la posguerra con implicaciones políticas, supuso un decisivo avance en su trayectoria, ya que consiguió una gran popularidad tras ser adaptada como guion cinematográfico.

En 1991 obtuvo el Premio Planeta por *El jinete polaco*, novela con la que vuelve a obtener el Nacional de Narrativa un año después.

Otras obras destacadas son *Plenilunio* (1997) o *La noche de los tiempos* (2009), en la que recrea el hundimiento de la II República Española y el inicio de Guerra Civil.

En 2007 es investido doctor *honoris causa* por la Universidad de Jaén. En 2013 fue galardonado con el Premio Príncipe de Asturias de las Letras. Actualmente es académico en la Real Academia Española.

## Todo lo que era sólido

Para bien y para mal lo que parecía más sólido deja de existir. La amenaza mayor se disuelve y quien vivió acogotado por ella la olvida. También a veces sucede lo favorable con lo que casi nadie contaba. Los militares golpistas, o al menos sus cabezas más visibles, fueron juzgados mal que bien, cumplieron condenas, se les expulsó del ejército. En febrero de 1981 habíamos estado a punto de regresar a la dictadura, pero menos de dos años después el Partido Socialista ganaba unas elecciones por mayoría absoluta. En algún momento, por esa época, el ruido de sables cesó para siempre, y la misma metáfora desapareció del idioma tan misteriosamente como había llegado a él. La injerencia militar en la vida española que llevaba durando más de siglo y medio se desvaneció sin drama. Uno de los dos o tres problemas centrales de nuestra historia moderna quedó resuelto con una facilidad que no habría profetizado nadie: incluso sin que nadie tuviera mucha conciencia y menos aún esperanza de estar resolviéndolo para siempre.

*No está el mañana ni el ayer escrito*, dice el poema de Antonio Machado. Los que nacimos en un mundo y nos hicimos adultos en otro sabemos, porque lo hemos experimentado en nuestras propias vidas, que no hay destinos fijados de antemano. Nacimos en un país aislado y rural en que más de veinte años después del final de la guerra aún duraba la posguerra y nos hicimos plenamente adultos en otro que ya pertenecía al primer mundo y que estaba a punto de integrarse en la Unión Europea. En mi adolescencia cuadrillas de jornaleros con camisas blancas y sombreros de paja segaban el trigo con hoces exactamente igual que en la Edad Media. Cuando yo era niño una mujer que tuviera un hijo sin estar casada era alguien todavía más marginal que un hombre al que se le notaran indicios de homosexualidad, y no existía más forma de matrimonio que el matrimonio católico. Apenas una generación más tarde el matrimonio entre personas del mismo sexo es un hecho común y nadie recuerda la diferencia entre lo que antes se llamaba *hijos legítimos* y los *ilegítimos*.

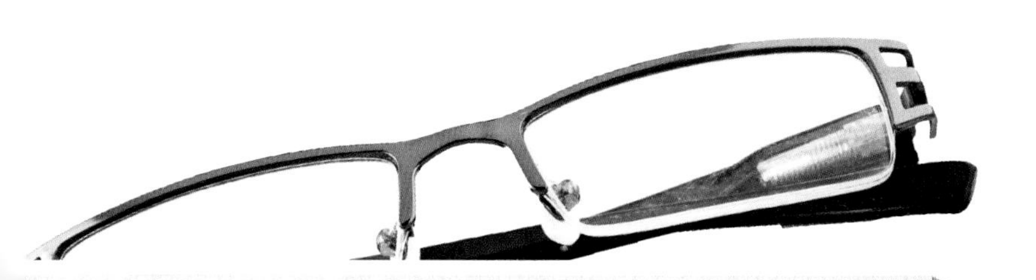

Cumplí dieciocho años en lo más sombrío de una dictadura
ue seguía torturando a sus presos y ejecutando a garrote vil a
us enemigos y que parecía que fuera a durar para siempre, y
uando cumplí veintisiete mi país tenía una constitución demo-
rática y un presidente socialista que solo seis años antes había
nilitado en la clandestinidad. La democracia en la que fueron
reciendo mis hijos y en la que nadie recordaba ya el miedo
. un golpe militar era mucho más imperfecta que cualquiera
e los paraísos utópicos o totalitarios con los que muchos de
osotros soñábamos en nuestra primera juventud: pero era el
égimen comparativamente más libre y más justo que había
onocido nunca nuestro país, más que la inmensa mayoría de
os otros en el mundo, fuera de la franja muy limitada de los
aíses del oeste de Europa.

Lo que para nosotros era inusitado para nuestros padres y
uestros abuelos había sido inimaginable: lo mismo que para
uestros hijos ha sido casi tediosamente normal y solo ahora
stá en peligro. Las pocas cosas fundamentales que de verdad
acen mejor la vida: el derecho a la educación pública y a la
anidad pública; el imperio de la ley; la garantía de seguir dis-
oniendo de una vida decente en la vejez. En la mayor parte
lel mundo solo los ricos o los muy ricos tienen acceso a tales
rivilegios que para nosotros han llegado a ser derechos in-
liscutibles. No hace mucho más de treinta años que nosotros
lisfrutamos de ellos.

Los que conocimos el mundo anterior tenemos la obligación
le contar cómo era: no para que se nos admire o se nos compa-
lezca por las escaseces que sufrimos, sino para que los que han
venido después y lo han dado todo por supuesto sepan que no
existió siempre, que costó mucho crearlo, que perderlo puede
ser infinitamente más fácil que ganarlo. Y que si nos impor-
a de verdad tenemos que comprometernos para defenderlo y
mantenerlo.

Muñoz Molina, A.: *Todo lo que era sólido*

## Más de cerca

**1 Señala si es verdadero (V) o falso (F) según lo que escribe el autor en el texto.**

| | V | F |
|---|---|---|
| 1. Casi hubo un golpe de Estado en 1981. | ☐ | ☐ |
| 2. El país aceptó dos años más tarde la injerencia militar en la vida pública. | ☐ | ☐ |
| 3. En la actualidad, el país al que se refiere es muy diferente a como era cuando nació. | ☐ | ☐ |
| 4. Cuando su país se integró en la Unión Europea, todavía conservaba métodos agrícolas propios de la Edad Media. | ☐ | ☐ |
| 5. Los derechos fundamentales a una educación y a una sanidad públicas están garantizados para el futuro. | ☐ | ☐ |

**2 Elige la opción correcta.**

1. **Durante la infancia del escritor no había nadie peor considerado socialmente que…**
   a. los homosexuales.
   b. las madres solteras.
   c. los hijos nacidos fuera del matrimonio.
2. **Según el autor, es importante conservar la memoria histórica…**
   a. para ser conscientes de la necesidad de defender los derechos adquiridos.
   b. para poder dar marcha atrás y recuperar las cosas importantes de la vida.
   c. para que nuestros descendientes admiren lo que hemos logrado.

**3 Redacta un texto de opinión.**

A la luz de lo que has leído, redacta un texto argumentativo (400-500 palabras) para la sección «El lector opina» de un periódico sobre esta afirmación que hace el autor:

*«Para bien y para mal lo que parecía más sólido deja de existir. La amenaza mayor se disuelve y quien vivió acogotado por ella la olvida».*

## Enriquece tu léxico

**1** Relaciona las palabras del texto con sus sinónimos.

| | |
|---|---|
| 1. disolverse | a. aburrido |
| 2. acogotar | b. ajusticiar |
| 3. injerencia | c. amedrentar |
| 4. desvanecerse | d. anticipadamente |
| 5. destino | e. atormentar |
| 6. segar | f. banda |
| 7. favorable | g. cautivo |
| 8. torturar | h. condolerse |
| 9. preso | i. cortar |
| 10. inusitado | j. diluirse |
| 11. franja | k. disiparse |
| 12. tedioso | l. entrada |
| 13. privilegio | m. incontestable |
| 14. resolver | n. intromisión |
| 15. ejecutar | ñ. inusual |
| 16. de antemano | o. prerrogativa |
| 17. acceso | p. propicio |
| 18. indiscutible | q. responsabilizarse |
| 19. compadecerse | r. sino |
| 20. comprometerse | s. solucionar |

**2** Encuentra el antónimo.

| | |
|---|---|
| 1. sólido | a. abundancia |
| 2. expulsar | b. acoger |
| 3. rural | c. atacar |
| 4. integrarse | d. democrático |
| 5. sombrío | e. frágil |
| 6. clandestinidad | f. indecoroso |
| 7. totalitario | g. legalidad |
| 8. decente | h. luminoso |
| 9. escasez | i. separarse |
| 10. defender | j. urbano |

REAL ACADEMIA ESPAÑOLA

Diccionario de la lengua española

**3** ¿Qué sentido tienen estos términos en el texto de Muñoz Molina? Elige las opciones correctas.

**Legítimo, ma**

1. adj. Conforme a las leyes.
2. adj. Cierto, genuino y verdadero en cualquier línea.

**Costar**

1. intr. Dicho de una cosa: Ser comprada o adquirida por determinado precio.
2. intr. Dicho de una cosa: Causar u ocasiona cuidado, desvelo, perjuicio, dificultad, etc.

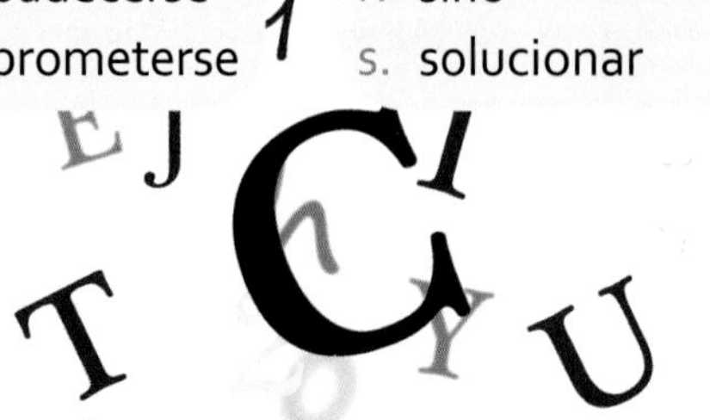

**¿Y tú?**

- ¿Cuáles han sido los cambios más relevantes que has observado en la historia reciente de tu país?
- ¿Qué derechos humanos consideras fundamentales?
- ¿Qué consideras más importante para el bienestar de una sociedad?

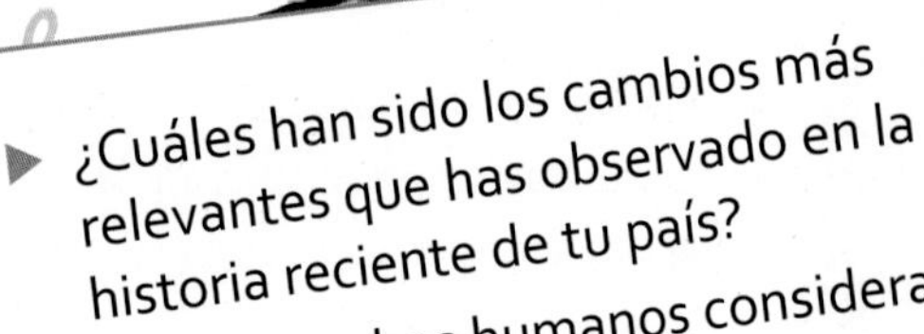

**4** **Completa cada frase con uno de los siguientes términos. Haz las transformaciones necesarias.**

acceso ■ acogotar ■ compadecerse ■ comprometerse ■ de antemano ■ destino ■ desvanecerse
disolverse ■ ejecutar ■ favorable ■ franja ■ indiscutible ■ injerencia ■ inusitado
preso ■ privilegio ■ resolverse ■ segar ■ tedioso ■ torturar

1. La banda ............................ por una disputa entre sus miembros.
2. Nos ............................ la violencia con que reaccionó y no nos atrevimos a llevarle la contraria.
3. El embajador denunció la ............................ en los asuntos internos del país.
4. El miedo es como un fantasma: tócalo y ............................
5. Ya desde niña se veía que su ............................ era convertirse en una gran cantante.
6. En los últimos años la violencia de género ............................ los sueños y hasta la vida de muchas mujeres.
7. Será mejor que esperemos a que las condiciones sean más ............................ antes de acometer esa empresa.
8. Los secuestradores ............................ a su rehén hasta causarle la muerte.
9. Han convocado una manifestación para pedir la libertad de los ............................ políticos.
10. Nos sorprendió a todos con su ............................ ejercicio de franqueza.
11. Llamamos *estrecho* a la ............................ de mar que separa dos tierras muy próximas entre sí, como el de Gibraltar que separa África de la península ibérica.
12. No hay nada más ............................ que estudiar sin ganas ni motivación.
13. Uno de los ............................ de los diplomáticos es no tener que pagar impuestos en el país en que se encuentren.
14. No te preocupes, que todo ............................ felizmente.
15. Los terroristas amenazan con ............................ a los rehenes si no se atienden sus peticiones.
16. Les pedimos disculpas ............................ por las molestias que las obras les pudieran ocasionar.
17. Ya han terminado las obras del túnel de ............................ a la terminal 1 del aeropuerto.
18. Nuestro equipo se ha apuntado una nueva victoria y es el líder ............................ del campeonato.
19. No habíamos pensado nunca en tener un perro, pero encontramos al cachorro abandonado, ............................ de él y lo trajimos a casa.
20. Si no estás seguro de poder realizar el trabajo a tiempo, no deberías ............................ a ello.

**5** **¿Con cuál de los tres poderes (legislativo, ejecutivo y judicial) asociarías estos términos? Clasifícalos.**

Ministerio ■ Congreso ■ legislatura ■ jueces ■ juzgado ■ diputados ■ jefatura del Estado
magistrados ■ tribunal ■ Parlamento ■ Justicia ■ Gobierno

| Poder legislativo | Poder ejecutivo | Poder judicial |
| --- | --- | --- |
| ................................ | ................................ | ................................ |
| ................................ | ................................ | ................................ |
| ................................ | ................................ | ................................ |

# Toros y matadores

Pista 4

Audio descargable en tuaulavirtual
www.edelsa.es

Actividades de ayuda para la preparación del DELE.

**1** Vas a escuchar una entrevista con el torero Luis Francisco Esplá. Después, redacta un texto argumentativo (150 palabras) con los puntos principales y expresa, de forma justificada, tu opinión al respecto.

**2** Vuelve a escuchar el texto y elige las tres opciones que mejor lo resumen entre las seis que te damos. Indica en qué orden las dicen.

a. Esplá, al igual que su padre y su hermano, pertenece al mundo de los toros, pero él, además, se dedicó a la cría de ganado. ☐

b. Al haber sido ganadero, Esplá recuerda el nombre de todos los toros a los que ha dado muerte en la plaza. ☐

c. El matador niega sentir pena de un toro, al contrario, le parece fantástico darle muerte. ☐

d. Esplá aprendió el arte del toreo en la escuela mediterránea en la que la luz juega un papel importante. ☐

e. En una época de su vida, el torero atravesó una crisis relacionada con el hecho de matar. ☐

f. Para Esplá, torear es como cazar, pero el torero tiene una relación mágica con la criatura a la que se va a enfrentar. ☐

**3** ¿Lo has entendido bien? Elige la opción correcta.

**1. El torero pertenece a una familia...**

a. importante dentro del mundo del arte.
b. conocida en todo el mundo.
c. con una larga tradición en el mundo del tor

**2. El matador Esplá aborrecía el mundo los toros porque...**

a. no entendía la muerte de los toros.
b. tenía que criarlos.
c. los odiaba.

**3. Es necesario matar al toro una vez ter nada la lidia porque...**

a. sería humillante para el animal salir lesio do de la plaza.
b. si te ha pertenecido, tienes que derrotarlo.
c. es muy digno matar a un animal vencido.

## 1 Oraciones concesivas y finales

**Fíjate en las conjunciones y locuciones concesivas y finales y completa el texto con los tiempos y modos adecuados.**

### Un desastre de fiesta

¿Sabes que habíamos invitado también a los jefes de Elena por su cumpleaños, de modo que (*tener, ella*) (1) ............................ ocasión de estrechar más sus relaciones y hablar de sus proyectos para la empresa? Pues resultó un desastre y ahora te cuento por qué:

Aunque lo (*preparar, nosotras*) (2) ............................ todo con mucha ilusión con el objeto de que la fiesta (*ser*) (3) ............................ un éxito, las cosas no salieron como esperábamos.

Con lo que les (*soler*) (4) ............................ gustar bailar a los compañeros de Elena y, a pesar de que (*contratar, nosotras*) (5) ............................ los servicios de un *disc jockey* con la intención de (*animar*) (6) ............................ la celebración, estaban todos bastante cortados y nadie dio un solo paso de baile en toda la noche.

La fiesta iba a ser en el jardín, pero aun cuando el servicio meteorológico (*asegurar*) (7) ............................ un tiempo espléndido para la zona, se puso a llover a cántaros y tuvimos que entrar en casa corriendo para no (*empaparse, nosotros*) (8) ............................

Una vez dentro, y por más que (*romper, nosotras*) (9) ............................ la cabeza pensando cómo colocar a los invitados durante la cena, con vistas a que (*tener, ellos*) (10) ............................ algo en común y (*encontrar*) (11) ............................ temas de conversación, nadie tuvo en cuenta los cartelitos con sus nombres a la hora de sentarse y casi no hablaron durante la comida.

Si bien (*gastar, nosotras*) (12) ............................ un montón de dinero encargando la cena a una famosa empresa –no fuera que nuestras dotes culinarias (*fallar*) (13) ............................ en una ocasión tan importante–, la comida era bastante mala y no me atreví a insistir en que se sirvieran más para no (*poner, yo a ellos*) (14) ............................ en un aprieto. (Yo misma no podía tragarla, y eso que (*procurar, yo*) (15) ............................ disimularlo...). Así que tampoco comieron mucho.

Para colmo de males, algunos invitados bebieron bastante –por (*animarse*) (16) ............................ un poco, supongo– y tuvimos que llevarles a sus casas en taxi a fin de que no (*tener, ellos*) (17) ............................ un accidente en ese estado.

Total, un desastre, y mira que (*pasar, nosotras*) (18) ............................ tiempo planeándola. (*Decir*) (19) ............................ lo que (*decir*) (20) ............................ Elena, yo no pienso organizar ninguna más. No en casa, por lo menos. Por mucho que (*insistir, ella*) (21) ............................, la próxima vez lo celebramos fuera. Aunque (*gastar, nosotras*) (22) ............................ más, merece la pena para (*quedar, nosotras*) (23) ............................ bien.

## 2 Completa las frases. Ten en cuenta las locuciones concesivas y finales.

1. Tanto si ............................ como si no, ............................
2. Por mucho que ............................
3. Se compraron aquella casa con vistas a ............................
4. Por más que ............................
5. ............................ a fin de no tener deudas.
6. Llegaron tarde, y eso que ............................
7. Aun cuando ............................ insistían en no hacernos caso.
8. A pesar de ............................ se entera de todo lo que pasa.

**3** Indicativo o subjuntivo

**Completa el texto con los tiempos y modos adecuados.**

## Misericordia

(*Emprender, ellos*) (1) ............................ su camino presurosos por la calle de Mesón de Paredes, hablando poco. Benina, más sofocada por la ansiedad que por la viveza del paso, (*echar*) (2) ............................ lumbre de su rostro, y cada vez que (*oír*) (3) ............................ campanadas de relojes (*hacer*) (4) ............................ una mueca de desesperación. El viento frío del Norte (*empujar, a ellos*) (5) ............................ por la calle abajo, hinchando sus ropas como velas de un barco. Las manos de uno y otro (*ser*) (6) ............................ de hielo; sus narices rojas (*destilar*) (7) ............................, (*enronquecer*) (8) ............................ sus voces; las palabras (*sonar*) (9) ............................ con oquedad fría y triste.

No lejos del punto en que Mesón de Paredes (*desembocar*) (10) ............................ en la Ronda de Toledo, (*hallar, ellos*) (11) ............................ el parador de Santa Casilda, vasta colmena de viviendas baratas alineadas en corredores sobrepuestos. (*Entrar*) (12) ............................ a ella por un patio o corralón largo y estrecho, lleno de montones de basura, residuos, despojos y desperdicios de todo lo humano. El cuarto que (*habitar*) (13) ............................ Almudena (*ser*) (14) ............................ el último del piso bajo, al ras del suelo, y no (*haber*) (15) ............................ que franquear un solo escalón para penetrar en él. (*Componerse*) (16) ............................ la vivienda de dos piezas separadas por una estera pendiente del techo: a un lado la cocina, a otro la sala, que también (*ser*) (17) ............................ alcoba o gabinete, con piso de tierra bien apisonado, paredes blancas, no tan sucias como otras del mismo caserón o humana madriguera. Una silla (*ser*) (18) ............................ el único mueble, pues la cama (*consistir*) (19) ............................ en un jergón y mantas pardas, arrimado todo a un ángulo. La cocinilla no (*estar*) (20) ............................ desprovista de pucheros, cacerolas, botellas, ni tampoco de víveres. En el centro de la habitación, (*ver*) (21) ............................ Benina un bulto negro, algo como un lío de ropa, o un costal abandonado. A la escasa luz que (*entrar*) (22) ............................ después de cerrada la puerta, (*poder*) (23) ............................ observar que aquel bulto (*tener*) (24) ............................ vida. Por el tacto, más que por la vista, (*comprender*) (25) ............................ que era una persona.

«Ya (*estar*) (26) ............................ aquí la Pedra borracha».

- ¡Ah!, ¡qué cosas! (*Ser*) (27) ............................ esa que (*ayudar, a ti*) (28) ............................ a pagar el cuarto... Borrachona, sinvergüenzonaza... Pero no (*perder, nosotros*) (29) ............................ tiempo, hijo; y dame el traje, que yo lo (*llevar*) (30) ............................ [...] Haciéndose cargo de la impaciencia de su amiga, el ciego (*descolgar*) (31) ............................ de un clavo el traje que él (*llamar*) (32) ............................ nuevo, por un convencionalismo muy corriente en las combinaciones mercantiles, y lo (*entregar*) (33) ............................ a su amiga, que en cuatro zancajos (*ponerse*) (34) ............................ en el patio y en la Ronda, tirando luego hacia el llamado Campillo de Manuela.

Pérez Galdós, B.: *Misericordia* (adaptado)

**4** *¿Ser o estar?*

**Sustituye lo que está en cursiva por *ser* o *estar*. Haz las transformaciones necesarias.**

1. La Acrópolis de Atenas *se halla* emplazada en una colina desde la que se divisa toda la ciudad.
2. El libro que me pides creo que *le pertenece a* Juan.
3. Pasear de noche por este barrio es muy peligroso, no le ha pasado nada porque *ha tenido* usted mucha *suerte*.

4. Por fin ha encontrado trabajo, aunque es provisional. *Trabaja como* camarero en una cafetería.
5. El aeropuerto *permaneció* cerrado por espacio de dos horas, debido a las inundaciones de ayer.
6. No te impacientes, no contesta porque *tiene* vacaciones todo este mes.
7. *Lleva* dos horas hablando por teléfono, ¡va a llegar un recibo...!
8. Tomás *lleva* luto porque el mes pasado se murió su hermana Lola.
9. *Me opongo a* que nos cambien el horario.
10. Este guiso cántabro *tiene un sabor* riquísimo.

## 5 Preposiciones

**Completa con la preposición que falta.**

1. Aunque era una actriz brillante, se vio eclipsada .............. la fama de su madre.
2. María Aurelia pudo comprar el piso gracias .............. los préstamos que le hicieron las amigas.
3. El mal de ojo es una superstición muy arraigada .............. la sociedad rural.
4. Es una buena idea importar .............. Turquía «kilims», se venderán como churros.
5. Es necesario un especialista que diferencie .............. las antigüedades y lo que se fabrica ahora.
6. Le bautizaron .............. el nombre de Gregorio, pero todo el mundo le llama Antonio, en recuerdo de su abuelo.
7. Tomás y Antonia están convencidos .............. que la decisión que tomaron de jubilarse a los sesenta años fue un gran acierto. Desde entonces viven como reyes.
8. El pueblo de Jorge está localizado .............. una zona montañosa de difícil acceso, por eso los alemanes durante la ocupación no pudieron encontrarlo.
9. Fuimos los últimos .............. abandonar la sala. Nos quedamos comentando la obra más de una hora.
10. La frontera .............. México y Estados Unidos está muy vigilada, para evitar el paso de emigrantes.
11. La dieta hay que completarla .............. suplementos vitamínicos.
12. El éxito de mi libro se debe .............. parte a sus inestimables consejos.
13. En el reino .............. los ciegos, el tuerto es el rey.
14. Todos debemos contribuir, en la medida de lo posible, .............. erradicar el hambre del mundo.
15. La crisis actual es consecuencia .............. el despilfarro de años anteriores.
16. El espía se infiltró .............. los círculos políticos sin que nadie sospechara nada.
17. Todos trabajaban como burros, .............. tanto que unos cuantos estaban todo el día rascándose la barriga.
18. Cuando ingresó en esa secta, se fue distanciando poco a poco .............. nosotros.

## 6 Completa los minidiálogos con estas expresiones.

¡anda ya! ■ ¡vaya por Dios! ■ ¡venga ya! ■ toma, pues claro

1. ■ Estaré lista dentro de quince minutos, solo tengo que maquillarme los ojos.
   ❏ ..........................., hace dos horas que te estamos esperando.
2. ■ ¿Sabes que al final no encontramos al perro? Ya lo hemos dado por perdido.
   ❏ ..........................., lo siento muchísimo.

3. ■ ¿Te has enterado de que me ha tocado la lotería y que me lo voy a gastar todo en viajes?
   ❑ ............................, pareces Antoñita la fantástica.
4. ■ ¿De verdad te has hecho este vestido tú sola?
   ❑ ............................ ¿No me crees capaz de ello?

**Algo más**

## Preposiciones y locuciones preposicionales de lugar[1]

- A
  - Situación respecto a un punto: *A la derecha/a la izquierda, al fondo, al final del pasillo...*
  - Distancia: *A 20 km, a media hora...*
  - Lugar figurado: *A la derecha/a la izquierda, al fondo, al final del pasillo...*
  - Destino: *Vamos a la playa.*
- Hacia
  - Dirección de un movimiento: *Siga por la autovía A4 hacia Córdoba...*
- Hasta
  - Punto final de un movimiento: *Este tren va hasta Zaragoza.*
- En
  - Lugar exacto: *Estamos en el centro comercial.*
  - Lugar interior: *Están en casa.*
- Sobre (indica contacto físico) = encima de/bajo = debajo de
  - Lugar superior (en sentido figurado solo usamos la preposición simple): *Te espero bajo el reloj de la plaza.*
- Ante = delante de/tras = detrás de
  - Lugar superior (en sentido figurado solo usamos la preposición simple): *Ante todo está la salud.*
- De... a...
  - Punto de partida y destino: *Iremos de Bilbao a Santander en coche.*
- Desde... hasta...
  - Punto de partida y destino, con énfasis en la distancia recorrida: *He venido desde casa hasta aquí andando.*

**Algo más**

## Preposiciones y locuciones preposicionales de tiempo[1]

- A
  - Horas y tiempo puntual: *A las seis de la mañana/al anochecer.*
  - Al + infinitivo = *cuando*: *Al salir de trabajar nos fuimos a tomar algo.*
  - Futuro en relación al pasado: *Al día siguiente s[e] marcharon.*
  - Frecuencia: *Tres veces a la semana, dos veces al d[ía]*
  - Edad que se tiene durante la realización de alg[o]: *A los 15 años escribía poesías.*
- Al cabo de
  - Futuro en relación al pasado: *Fue a EE.UU. y a[l] cabo de un mes regresó.*
- Con
  - Edad: *Se casó con solo 23 años.*
- De
  - Ausencia/presencia de luz solar: *Se levantaban de madrugada.*
  - Hora respecto a una parte del día: *Son las seis de la tarde, me marcho ya.*
  - Origen: *Esta tradición viene de la Edad Media.*
- Dentro de
  - Tiempo que tiene que transcurrir para que ocurra algo. Futuro en relación al presente: *Dentro de un mes habrá elecciones.*
- Desde/Desde hace + espacio de tiempo
  - Origen + duración: *Estoy esperando desde hace media hora.*
- Desde... hasta / De... a (ambas + artículo si se trata de horas o días)
  - Horarios: *Trabajamos de lunes a viernes, desde las ocho hasta las dos.*
- En
  - Expresiones de tiempo (no días ni horas): *En verano vamos a España.*
  - Tiempo que se tarda en la realización de algo: *Lo hizo en cinco minutos.*
- Hasta
  - Límite temporal que no se sobrepasa: *Se despidió hasta la noche.*
- Sobre = hacia (hora o fecha aproximada)
  - Tiempo aproximado: *Vendré sobre/hacia las dos.*

1. Ver también *Por/Para*

## 7 Preposiciones y locuciones preposicionales de lugar y de tiempo

**Completa el texto con la preposición o locución preposicional adecuada.**

### Bicicletas románticas

Yo solía dejar la bicicleta (1) .............. el patio de la escuela, que estaba rodeado de un parque muy arbolado, con bancos y un pequeño lago donde nadaban algunos peces y patos. La trancaba y me iba caminando (2) .............. la sala de maestros o, si era ya la hora, directamente (3) .............. el aula de clase. (4) .............. terminar, (5) .............. la tarde, destrancaba mi bici y pedaleaba (6) .............. casa, que está (7) .............. cinco cuadras (8) .............. la escuela. Aquel lunes, (9) .............. finalizar el turno, vi que en el patio había otra bicicleta, además de la propia. [...] Era una bicicleta romántica, de mujer. El corazón me dio un vuelco. [...] Comprendí que lo sucedido con las bicicletas no era un acontecimiento aislado o fortuito cuando, mientras iba caminando (10) .............. la escuela (11) .............. mi casa, asocié el amarramiento bicicletesco con los hechos singulares que habían estado ocurriendo en mi torno (12) .............. unos meses. Es lo que voy a contar ahora.

Una mañana (13) .............. las nueve menos cinco llegué con mi bicicleta (14) .............. estacionamiento del patio de la escuela y enseguida distinguí, entre tantas bicicletas una, romántica, de mujer. Como la mía, era negra, pero tenía una línea roja en los guardabarros, que terminaban, (15) .............. atrás, en una pequeña voluta. [...] Aquella bicicleta era por lo menos tan bonita como la mía, así es que me detuve un rato a contemplarla. [...] Yo decidí dejar la mía cerca de la suya. Así, (16) .............. verlas, la gente pensaría que los propietarios formaban una pareja. [...] (17) .............. la salida pasaron repartiendo el folleto informativo de la Comuna sobre la inauguración del patíbulo. Cuando llegué (18) .............. patio vi que la bicicleta de mujer no estaba. Me asaltó un vago sentimiento que, (19) .............. ser sometido a análisis, demostró parecerse a la tristeza: tal vez era melancolía. Como tengo dicho y repito, soy lento para sacar algunas conclusiones, y no fue sino (20) .............. casa, mientras guardaba mi bicicleta [...] cuando me di cuenta de que la dueña, (21) .............. retirar la suya, tendría que haber visto mi propia bicicleta.

(22) .............. llegar a casa lo primero que hice fue ir (23) .............. garaje y pintar (24) .............. mi bici una franja roja (25) .............. cada uno de los guardabarros.

Durante dos días yo había llegado (26) .............. las nueve y la bici estaba allí, de modo que quise probar qué pasaba si yo llegaba, por ejemplo, (27) .............. las nueve menos cuarto. (28) .............. esa hora llegué, (29) .............. la mañana siguiente, y ya estaba. [...] Esa vez pude haber dejado mi bicicleta pegada (30) .............. la de ella, porque había lugar, pero me contenté con dejarla cerca. [...] Tal vez lo haría (31) .............. día siguiente, después de haberle cambiado las cubiertas. Me pareció claro que la dueña llegaba siempre (32) .............. las nueve menos cuarto.

Cuando (33) .............. día siguiente mi bicicleta de flamantes cubiertas blancas y yo estuvimos (34) .............. las ocho y media, el patio estaba casi vacío y la bicicleta de mujer no estaba. [...] Pensé, equivocadamente, que pronto vería llegar a la dueña. Dejé mi bici amarrada y me senté (35) .............. un banco que estaba alejado, (36) .............. el que uno podía observar el patio. Estuve inútilmente sentado (37) .............. que se acercó el momento de entrar (38) .............. clase. [...] Fue un día laboral de cinco horas durante las que me costó concentrarme. [...] (39) .............. la salida me llevé la agradable sorpresa de que la bicicleta romántica de mujer estaba, y muy cerca de la mía. [...] Resolví esperar un rato, sentado (40) .............. el banco, para ver si aparecía la dueña, pero como eso no sucedió, (41) .............. una hora me fui (42) ............... casa.

Rosiello, L.: *Bicicletas románticas* (adaptado)

# EXPRESIÓN E INTERACCIÓN ESCRITAS

## Antes de nada

### La dirección

Tiene que aparecer el nombre de la calle (avenida, plaza, etc.) + número separados por una coma (,) y un espacio.

El código postal + localidad (en mayúsculas).

Nota: si la localidad no es la capital, la provincia puede escribirse, pero en minúsculas.

DISTRIBSA
C/María de Luna, 3
18800 BAZA (Granada)

Sres. Sanz y Sanz
Avda. Peñarroya, 130
28034 MADRID

**Abreviaturas más utilizadas**

- Avda. avenida
- C/ o c/ calle
- Crta. carretera
- Pza. plaza
- P.º paseo
- n.º número
- s/n sin número

# Les ruego solución de inmediato

## Escribe una carta de protesta

▶ Trabajas en una empresa de importación. Tu departamento ha realizado un pedido de fresas a la cooperativa Agrofre ubicada en Huelva, España. A causa de la demora en el envío, una parte del pedido ha llegado en malas condiciones. Escribe una carta de protesta a la cooperativa española utilizando el tono y estilo adecuados. En la carta deberás:

- ▶ Exponer claramente el problema.
- ▶ Explicar las pérdidas que este hecho ha ocasionado a la empresa a la que representas y lo que eso supone para vuestros clientes.
- ▶ Exigir una indemnización por daños y perjuicios.
- ▶ Exigir una respuesta en breve.

## Recursos

**Comunicar problemas**

*Sentimos informarles...*
*Lamentamos tener que comunicarles...*
*Al revisar... hemos visto...*
*Al examinar... nos hemos dado cuenta de que...*

**Explicar**

*Quiero pensar que se trata de...*
*Supongo que se debe a...*
*Al parecer el problema viene de...*
*Parece que ser que el problema...*

**Exigir una respuesta en breve**

*Espero una respuesta inmediata...*
*Exijo una pronta respuesta...*
*Espero que este error se subsane lo antes posible...*

**Exigir una solución o indemnización**

*Espero que tome/n las medidas oportunas...*
*Le/s ruego solucione/n de inmediato...*
*Por todo ello, le/s exijo me devuelva/n....*
*Exijo una compensación, ya que...*

# Informar sobre la realidad: la influencia de la cultura

«... La costumbre de mirar la realidad e informar sobre ella de manera subjetiva [...] –en literatura da excelentes frutos y en el periodismo, venenosos–...».

«... la influencia de la cultura en la determinación de las nociones de mentira y verdad, la descripción verídica de un hecho y su deformación subjetiva, cuando esta es deliberada, y persigue hacer pasar gato por liebre, contrabandear una mentira por una verdad, se comete una infracción tanto jurídica como ética...».

Vargas Llosa, M.: *Sirenas en el Amazonas*

## pón los hechos

Después de leer lo que dice Vargas Llosa, escribe un texto expositivo sobre la influencia de la cultura a la hora de informar (150-200 palabras). Ayúdate del siguiente esquema:

- Introducción al tema.
- Exposición y explicación del tema.
- Enumerar argumentos.
- Conclusión y reflexión final.

## Recursos

**Sacar consecuencias:** *así pues, de ahí que, por lo tanto, por lo que*, etc.

**Justificar un argumento:** *debido a, en virtud a, dado que, por culpa de*, etc.

**Argumentos en contra:** *por el contrario, antes bien, pese a, así y todo*, etc.

# EXPRESIÓN E INTERACCIÓN ORALES

# La lengua nuestra de cada día

## Cada oveja con su pareja

**1** **Relaciona las expresiones con su definición.**

1. Ojos que no ven, corazón que no siente.
2. Anunciar a bombo y platillos.
3. Quien a buen árbol se arrima buena sombra le cobija.
4. Dar gato por liebre.
5. El que se pica ajos come.

a. Engañar en una transacción comercial.
b. El que, por susceptibilidad, se resiente de lo que oye e porque tiene motivos para darse por aludido.
c. Cuando las penas están lejos, se ignoran o se siente menos.
d. Ventajas que logra el que tiene protección poderosa.
e. Pregonar con gran aparato propagandístico.

## Un paso más

**2** **Relaciona lo que dicen estas personas con una de las expresiones anteriores.**

**a.** Cuando se licenció, después de estar estudiando siete años, se ocupó de comunicárselo a todo el mundo, incluso hizo una gran fiesta en su casa. ☐

**b.** Una de mis mejores amigas ha optado por no contarme nada de lo que le pasa, ahora prefiere callarse todos sus problemas, así que ya no me preocupo por ella. ☐

**c.** Si sigues en compañía de Carmen todo te irá bien, es una de esas personas que siempre intenta favorecer a los demás. ☐

**d.** Dicen que en esa nueva agencia de mi barrio hay que tener mucho cuidado a la hora de contratar un viaje, siempre pretenden darte algo diferente a lo que has pedido. ☐

**e.** No entiendo por qué Ana reacciona así ante cualquier comentario. Siempre piensa que dicen cosas de ella. ☐

## En otros lugares

**3** **Elige ahora tres de las expresiones de esta sección.**

- ¿En qué situación real las utilizarías? Explícalo.
- ¿Hay una expresión equivalente en tu lengua?

# Hablando se entiende la gente

## La moda, un clásico del espíritu

Existe otro significado netamente espiritual del vestir que tiene que ver con la sexualidad humana: el pudor.

Lo esencial del fenómeno del pudor [...] es la tendencia natural a ocultar los valores sexuales, sobre todo en la medida en que, en la conciencia de una persona, constituyen un objeto de placer. Esto es así porque en el ser humano existe un rechazo radical a ser considerado por los demás como un instrumento, como un objeto.

[...] Teniendo en cuenta que, para un ser humano normalmente constituido, la sensualidad hace considerar el cuerpo del otro como un objeto de placer, se puede decir que en la mujer la afectividad supera la sensualidad y, por eso, ella es menos consciente psíquicamente del cuerpo como objeto de placer. Por esa razón, siente menos la necesidad de esconder su cuerpo, objeto posible de placer, y es menos púdica. El hombre, sin embargo, siente interiormente su propia sensualidad, es decir, psíquicamente es más consciente de ella y, por eso, es más púdico [...]. En ambos casos, la necesidad de encubrir los valores sexuales es una manera natural de permitir que se descubran los valores de la misma persona.

Herrero, M. *Fascinación a la carta, moda y posmodernidad* (adaptado)

### repara tu intervención

- Reflexiona sobre las siguientes cuestiones:
  - ▶ ¿Qué es para ti el pudor? ¿Piensas que el hombre es más púdico que la mujer o viceversa?
  - ▶ ¿Estás de acuerdo con la diferencia que se hace en el texto entre hombre y mujer en relación al concepto de «cuerpo como objeto de placer»?
  - ▶ ¿Crees que «la necesidad de vestirse es una manera natural de permitir que se descubran los valores de la misma persona»? Justifica tu respuesta y da ejemplos.

### Tertulia

Después de leer el texto de «La moda, un clásico del espíritu» y reflexionar sobre las cuestiones anteriores, preparad una tertulia para exponer vuestro punto de vista.

# RESUMEN GRAMATICAL

## CONCESIVAS Y FINALES

### EXPRESIÓN DE LA CONCESIÓN

Expresan una dificultad que no impide que se cumpla lo que se dice en la oración principal.

- **Con indicativo:** expresan una realidad.
  *aunque, aun cuando, a pesar de que, por más/mucho que, pese a que, (aun).*
  **Otras partículas y locuciones concesivas**
  - a sabiendas de que: *Llegará tarde, aun a sabiendas de que me molesta.*
  - si bien: *Si bien nadie me lo advirtió, he tomado las medidas necesarias.*
  - con lo + adjetivo/adverbio/participio pasado + que + *ser/estar*: *Con lo hábil que es, no se le da bien la mecánica.*
  - con + artículo/la de + nombre + que: *Con la de problemas que tuve para conseguirlo y ahora tú lo tiras.*
  - cuando: *Me han suspendido cuando he estudiado como una loca.*
  - y eso que (coloquial): *Te has tomado media botella, y eso que no te gustaba.*
  - y mira que (coloquial): *Hemos vuelto a equivocarnos, y mira que hemos tenido cuidado.*
- **Con subjuntivo:** expresan una posibilidad.
  - Real: *Aunque seas mi hijo, no te permito comportarte de esta manera.*
  - Incierta: *Aunque tuvieses razón, no deberías haber hablado así.*
  - Imposible: *Aunque fuera tan guapa como ella, yo no me habría presentado al certamen de belleza.*

  *aunque, aun cuando, a pesar de que, por mucho/más que, pese a que, así, aun a riesgo de que, por poco que, porque, por + (muy)* adjetivo/adverbio + *que.*
  **Otras partículas y locuciones concesivas**
  - que + verbo + que no/o no: *Que quieras o no, yo lo haré.*
  - verbo + lo que + verbo: *Cueste lo que cueste voy a comprarlo.*
  - siquiera + cantidad: *Lo haré, siquiera una vez en la vida.*
- **Con las formas no personales:** si tenemos un solo sujeto o si el sujeto de la principal es objeto de la subordinada.
  - a pesar de + infinitivo/nombre: *Fue a trabajar, a pesar de estar enfermo/su enfermedad.*
  - pese a + infinitivo: *Está como un roble pese a haber cumplido noventa años.*
  - aun/ni + gerundio: *No conseguirás convencerlo aun/ni insistiéndole mucho.*
  - con + infinitivo: *Con ser el más feo, es el que más éxito tiene.*
  - gerundio/participio pasado/adjetivo + y todo: *Viejo y todo, es más animado que muchos jóvenes.*

## EXPRESIÓN DE LA FINALIDAD

Responden a la pregunta: *¿para qué?*

- **Con subjuntivo:** cuando su sujeto es diferente.

  **Partículas y locuciones finales**
  - a que (tras verbos de movimiento), para que: *Vengo a que me paguen.*
  - a fin de que, con el objeto de que, con el fin de que: *Los técnicos trabajarán con el objeto de que el oleoducto esté listo pronto.*
  - que (tras imperativo): *Ven que te vea.*
  - con vistas a que, con la intención de que: *El Estado construirá colegios con la intención de que todos los niños se escolaricen.*
  - de manera/modo/forma que*: *Germán lo preparó todo de manera que la fiesta fuera un éxito.*
  - en orden a que: *Trabajan en orden a que la inauguración de la exposición no se retrase mucho.*
  - porque**: *Lo hizo porque hablaran bien de él.*
  - no sea que: *Deja a la perra en el jardín, no sea que mi tía se asuste.*
- **Con infinitivo:** cuando el sujeto es el mismo.

  **Partículas y locuciones finales**
  - a (tras verbos de movimiento), para: *Vengo a pagar.*
  - a fin de, con el objeto de, con el fin de: *Los técnicos trabajan con el objeto de terminar pronto el oleoducto.*
  - con vistas a, con la intención de: *Se mata a trabajar con vistas a ganar la plaza de titular.*
  - en orden a: *Trabajan en orden a inaugurar la exposición a tiempo.*
  - por: *Lo hizo por quedar bien.*
  - tener... que: *Tengo muchos exámenes que corregir.*

* Con indicativo adquiere valor consecutivo: «Germán lo preparó todo, de manera que la fiesta fue un éxito».
** Con indicativo tiene un significado causal: «Lo hizo porque quería que hablasen bien de».

La Habana,
Cuba

# Unidad 5

## COMPRENSIÓN LECTORA

- **Javier Marías:** *Corazón tan blanco*
  - **Más de cerca:** actividades y estrategias de control de la comprensión.
  - **Enriquece tu léxico:** actividades y estrategias de ampliación del vocabulario.

## COMPRENSIÓN AUDITIVA

- **Presentación y entrevista:** *Hostelería: ¿profesión con futuro?*
  - Tareas y estrategias de control de la comprensión.

## COMPETENCIA GRAMATICAL

- **Contenidos específicos**
  - Oraciones condicionales.
- **Contenidos generales**
  - Tiempos y modos verbales.
  - Contraste *ser/estar*.
  - Preposiciones.
  - Completa con los términos adecuados.
- **Algo más**
  - Uso de *por y para.*

## EXPRESIÓN E INTERACCIÓN ESCRITAS

- **Escribir una carta rechazando una propuesta**
  - Agradecer, rechazar un ofrecimiento.
- **Contar una experiencia**
  - *Elogio del turista*

## EXPRESIÓN E INTERACCIÓN ORALES

- **La lengua nuestra de cada día**
  - Expresiones, refranes y frases hechas.
- **Hablando se entiende la gente**
  - **Debate:** *Mirar al mundo con ojos de mujer*

## RESUMEN GRAMATICAL

- Oraciones condicionales.

# Javier Marías

VIDA Y OBRA

Hijo del filósofo Julián Marías (Madrid, 1951). Pasó parte de su infancia en Estados Unidos y se licenció en Filosofía y Letras en la Universidad Complutense de Madrid.

Fue profesor de Literatura Española en varias universidades americanas y en la Universidad Complutense de Madrid. En la actualidad, aparte de escritor, traductor y editor, es miembro de la Real Academia Española, donde ocupa el sillón R.

En 1971 apareció su primera novela, *Los dominios del lobo*, con la que se reveló como una de las voces más personales de la narrativa española del momento.

Ha publicado traducciones, artículos, ensayos, libros de relatos y novelas como *El siglo*; *Mañana en la batalla, piensa en mí*; *Corazón tan blanco* (ha vendido más de 900 000 ejemplares en alemán); *Tu rostro mañana*; *Así empieza lo malo*; entre otras. Sus obras se traducen a 25 idiomas.

Sus personajes son complejos y el marco de sus obras suele ser la vida cotidiana, pero están llenas de referencias culturalistas en las que es evidente la influencia de las letras en lengua inglesa.

En 2012, fue galardonado con el Premio Nacional de Narrativa español, premio que agradeció, pero que rechazó para ser consecuente con su declaración de no aceptar jamás remuneración alguna procedente del erario público.

## Corazón tan blanco

A Luisa la había conocido casi un año antes en el ejercicio de mi trabajo, de una manera un poco bufa y también un poco solemne. Como ya he dicho, ambos nos dedicamos sobre todo a ser traductores o intérpretes (…). Por fortuna no nos limitamos (5) a prestar nuestros servicios en las sesiones y despachos de los organismos internacionales. Aunque eso ofrece la comodidad incomparable de que en realidad se trabaja solo la mitad del año (dos meses en Londres o Ginebra o Roma o Nueva York o Viena o incluso Bruselas y luego dos meses de asueto en casa, (10) para volver otros dos a los mismos sitios), la tarea de traductor o intérprete de discursos e informes resulta de lo más aburrida, tanto por la jerga idéntica y en el fondo incomprensible que sin excepción emplean todos los parlamentarios, delegados, ministros, gobernantes, diputados, embajadores, expertos (15) y representantes en general de todas las naciones del mundo, cuanto por la índole invariablemente letárgica de todos sus discursos, llamamientos, protestas, soflamas e informes.

Alguien que no haya practicado este oficio puede pensar que ha de ser divertido o al menos interesante y variado, y aún es (20) más, puede llegar a pensar que en cierto sentido se está en medio de las decisiones del mundo y se recibe de primera mano una información completísima y privilegiada sobre todos los aspectos de la vida de los diferentes pueblos, información política y urbanística, agrícola y armamentística, ganadera y (25) eclesiástica, física y lingüística, militar y olímpica, policial y turística, química y propagandística, sexual y televisiva y vírica, deportiva y bancaria y automovilística, hidráulica y costumbrista. Es cierto que a lo largo de mi vida yo he traducido discursos o textos de toda suerte de personajes sobre los asun- (30) tos más inesperados (al comienzo de mi carrera llegaron a estar en mi boca las palabras póstumas del arzobispo Makarios, por mencionar a alguien infrecuente), y he sido capaz de volver a decir en mi lengua, o en otra de las que entiendo y hablo, largas parrafadas sobre temas tan absorbentes como las formas de re- (35) gadío en Sumatra o las poblaciones marginales de Swazilandia

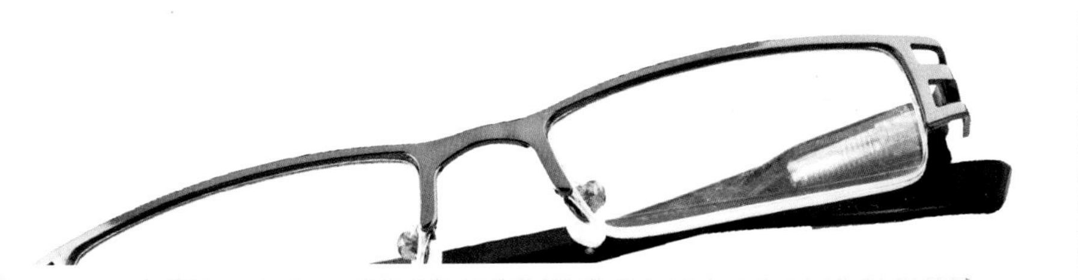

y Burkina, que lo pasan muy mal como en todas partes; he reproducido complicados razonamientos acerca de la conveniencia o humillación de instruir sexualmente a los niños en dialecto véneto; sobre la rentabilidad de seguir financiando las muy mortíferas y costosas armas de la fábrica sudafricana Armscor, 40 ya que en teoría no podían exportarse; sobre las posibilidades de edificar una réplica más del Kremlin en Burundi o Malawi, creo; sobre la necesidad de desgajar de nuestra península el reino entero de Levante (incluyendo Murcia) para convertirlo en isla y evitar así las lluvias torrenciales e inundaciones de 45 todos los años, que gravan nuestro presupuesto; sobre el mal del mármol en Parma, sobre la expansión del sida en las islas de Tristán da Cunha, sobre las estructuras futbolísticas de los Emiratos Árabes, sobre la baja moral de las fuerzas navales búlgaras y sobre una extraña prohibición de enterrar a los 50 muertos, que se amontonaban malolientes en un descampado, sobrevenida hace unos años en Londonderry por arbitrio de un alcalde que acabó siendo depuesto. Todo eso y más yo lo he traducido y lo he transmitido y lo he repetido religiosamente según lo iban diciendo otros, expertos y científicos y lumbre- 55 ras y sabios de todas las disciplinas y los más lejanos países, gente insólita, gente exótica, gente erudita y gente eminente, premios nobel y catedráticos de Oxford y Harvard que enviaban informes sobre las cuestiones más imprevistas porque se los habían encargado sus gobernantes o los representantes de 60 los gobernantes o los delegados de los representantes o bien sus vicarios. Lo cierto es que en esos organismos lo único que en verdad funciona son las traducciones, es más, hay en ellos una verdadera fiebre translaticia, algo enfermizo, algo malsano, pues cualquier palabra que se pronuncia en ellos (en sesión 65 o asamblea) y cualquier papelajo que les es remitido, trate de lo que trate y esté en principio destinado a quien lo esté o con el objetivo que sea (incluso si es secreto), es inmediatamente traducido a varias lenguas por si acaso.

Marías, J.: *Corazón tan blanco* (adaptado)

## Más de cerca

### 1 Señala si es verdadero (V) o falso (F) según lo que escribe el autor en el texto.

| | V | F |
|---|---|---|
| 1. Traducir e interpretar en organismos internacionales resulta interesante por la variedad de temas que se tratan. | ☐ | ☐ |
| 2. Traductores e intérpretes están al día en las cuestiones realmente importantes de nuestro tiempo. | ☐ | ☐ |
| 3. El autor menciona varios asuntos sobre los que ha trabajado que le parecen irrelevantes. | ☐ | ☐ |
| 4. El problema de los organismos internacionales es la imposibilidad de traducirlo todo a tantos idiomas. | ☐ | ☐ |
| 5. El autor se siente orgulloso de haber traducido y transmitido la opinión de grandes expertos. | ☐ | ☐ |

### 2 Elige la opción correcta.

1. **La gran ventaja de su trabajo es que...**
   a. viaja frecuentemente por Europa e incluso va a Nueva York.
   b. cada dos meses tiene otros dos de vacaciones.
   c. solamente tiene que traducir a su lengua materna.

2. **Al autor no le parece lógico que...**
   a. se apartara de su cargo al alcalde de Londonderry por su prohibición de enterrar a los muertos.
   b. los gobernantes solicitaran informes sobre cuestiones irrelevantes a los grandes expertos.
   c. se realicen sin necesidad tal cantidad de traducciones.

### 3 Foro de debate.

Eres traductor de un organismo internacional. Convoca a tus colegas para tratar la conveniencia o no de traducir todos los documentos incluso a lenguas minoritarias.
Refiérete a la importancia del tema y expresa brevemente tu postura –a favor o en contra– dando algún argumento para apoyarla.

## Enriquece tu léxico

**1** Relaciona las palabras del texto con sus sinónimos.

1. bufo
2. solemne
3. asueto
4. jerga
5. soflama
6. letárgico
7. humillación
8. vírico
9. póstumo
10. absorbente
11. conveniencia
12. instruir
13. rentabilidad
14. financiar
15. réplica
16. desgajar
17. gravar
18. sobrevenir
19. lumbrera
20. amontonar

a. enseñar
b. ceremonioso
c. eminencia
d. sobrecargar
e. arenga
f. posterior a la muerte
g. argot
h. apilar
i. beneficio
j. acontecer
k. cautivante
l. viral
m. copia
n. provecho
ñ. subvencionar
o. arrancar
p. afrenta
q. somnoliento
r. grotesco
s. descanso

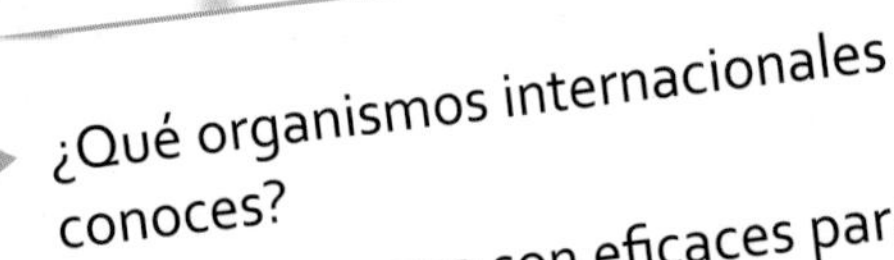

**2** Encuentra el antónimo.

1. incomparable
2. variado
3. inesperado
4. costoso
5. edificar
6. enterrar
7. maloliente
8. imprevisto
9. evitar
10. remitir

a. previsible
b. afrontar
c. recibir
d. esperado
e. aromático
f. barato
g. demoler
h. monótono
i. exhumar
j. comparable

REAL ACADEMIA ESPAÑOLA

Diccionario de la lengua española

**3** ¿Qué sentido tienen estos términos en el texto de Marías? Elige las opciones correctas.

**Ejercer**
1. tr. Practicar los actos propios de un oficio, facultad o profesión.
2. tr. Realizar sobre alguien o algo una acción, influjo, etc.

**Intérprete**
1. com. Persona que interpreta.
2. com. Persona que explica a otras, en lengua que entienden, lo dicho en otra que les es desconocida.

**¿Y tú?**

- ¿Qué organismos internacionales conoces?
- ¿Consideras que son eficaces para resolver los grandes problemas de nuestra época?
- ¿Te gustaría trabajar para alguno de ellos? ¿Por qué?

## 4 Completa cada frase con uno de los siguientes términos. Haz las transformaciones necesarias.

rentabilidad ■ incomparable ■ lumbrera ■ jerga ■ desgajarse ■ apilar ■ póstumo
soflama ■ solemne ■ réplica ■ afrentar ■ amontonarse ■ humillación ■ demoler
letárgico ■ exhumar ■ asueto ■ maloliente ■ conveniencia ■ bufo

1. Los médicos deberían tener en cuenta que la ............................ científica que utilizan les resulta incomprensible a sus pacientes.
2. Rindieron un homenaje ............................ a las víctimas del terrorismo.
3. Después de tan copiosa comida le entró un ............................ sopor.
4. Las zapatillas de deporte ............................ se pueden meter en la lavadora con un poco de lejía.
5. Mi primo no es ninguna eminencia, pero se cree una ............................ .
6. Tuvieron que ............................ el cadáver por orden judicial.
7. El primer día de rebajas los clientes ............................ a las puertas del centro comercial.
8. El uno de mayo no es un día de ............................ remunerado, sino una jornada de huelga.
9. Nació en el seno de una familia que ............................ valiosas obras de arte en el sótano.
10. Su encendida ............................ revolucionaria enardeció a las masas.
11. Aunque tenía una sólida formación musical, se hizo famoso con sus ............................ canciones del verano.
12. Una rama ............................ con el peso de la fruta y le cayó en la cabeza.
13. Ya se ha publicado *Demonios familiares*, la obra ............................ e inconclusa de Ana María Matute.
14. En Buenos Aires hay una ............................ de la famosa Estatua de la Libertad construida por el propio Frédéric Auguste Bartholdi.
15. La tormenta ............................ lo que quedaba de aquella iglesia.
16. Los rebeldes ............................ al gobernador, acusándolo de corrupto e inepto.
17. El ser humano siempre vela por su propia ............................ .
18. Se trata de un lugar ............................ por sus vistas panorámicas sobre la bahía.
19. ¿Hay algún banco que pueda asegurarme la ............................ de mis ahorros?
20. Es necesario conocer los efectos de la ............................ en la psicología de los niños y jóvenes para poder ayudar a las víctimas del acoso escolar.

## 5 ¿Cuáles de estas siglas reconoces y a qué nombres de organismos corresponden? Relaciona las columnas.

| | |
|---|---|
| 1. OEA | a. Organización de Estados Americanos |
| 2. ONU | b. Fondo Monetario Internacional |
| 3. UNICEF | c. Organización de Naciones Unidas |
| 4. FIFA | d. Organización de las Naciones Unidas para la Educación, la Ciencia y la Cultura |
| 5. UNESCO | e. Fondo de las Naciones Unidas para la Infancia |
| 6. COI | f. Federación Internacional de Fútbol Asociado |
| 7. FMI | g. Comité Olímpico Internacional |

# Hostelería: ¿profesión con futuro?

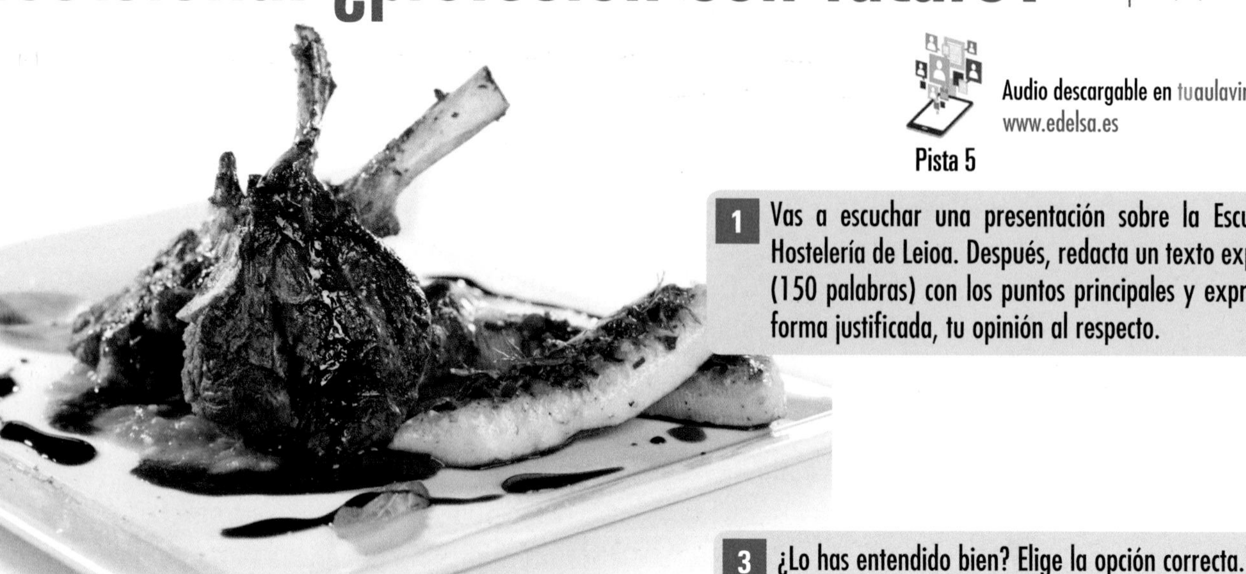

Audio descargable en tuaulavirtual www.edelsa.es

Pista 5

**1** Vas a escuchar una presentación sobre la Escuela de Hostelería de Leioa. Después, redacta un texto expositivo (150 palabras) con los puntos principales y expresa, de forma justificada, tu opinión al respecto.

**2** Vuelve a escuchar el texto y elige las tres opciones que mejor lo resumen entre las seis que te damos. Indica en qué orden las dicen.

a. En el País Vasco se puede estudiar Ciencias de la Gastronomía como carrera universitaria. ☐

b. Estudiar en esta escuela garantiza, en un altísimo porcentaje, un puesto de trabajo. ☐

c. En la Escuela de Leioa no hay aulas, se estudia directamente en la cocina, la panadería, la charcutería, etc. ☐

d. Quienes desean saber cómo decorar una mesa asisten a esa escuela, pues eso también es objeto de estudio allí. ☐

e. Muchos estudiantes comen en la propia escuela, ya que tienen que probar lo que cocinan. ☐

f. La Escuela de Hostelería de Leioa da formación a quienes quieren dedicarse profesionalmente al mundo de la gastronomía. ☐

**3** ¿Lo has entendido bien? Elige la opción correcta.

**1. La Escuela de Hostelería de Leioa...**

a. es una universidad pública y es considera la mejor en su ámbito.

b. tiene fama de exigente, de ahí que haya q hincar mucho los codos.

c. no imparte las materias en aulas convenc nales, se aprende mediante la práctica.

**2. En la Escuela de Hostelería de Leioa...**

a. una de las primeras cosas que aprenden estudiantes es a freír chuletas.

b. el aprendizaje va desde lo más simple a más elegante o sofisticado.

c. cualquiera que desee dedicarse al mundo la restauración puede perfeccionar su form ción.

**3. En la escuela de Leioa...**

a. los estudiantes de hostelería tardan dos añ de media en encontrar trabajo.

b. los que están matriculados solo pueden e tudiar dos años.

c. las espectativas de acceder al mundo labor al terminar los estudios son muy optimistas

## 1 Oraciones condicionales

**¿Eres una persona egoísta? Completa el siguiente test psicológico con la forma adecuada del verbo.**

1. Si (*enterarse*) (1) .......................... de una magnífica oferta de trabajo que le atrae y que también podría interesarle a un amigo suyo, ¿se lo diría?
   a. Claro que lo (*hacer*) (2) .........................., que gane el mejor.
   b. Se lo (*decir*) (3) .........................., a condición de que (*poder*) (4) .......................... presentarse usted mismo antes.
   c. Difícilmente se lo (*decir*) (5) ..........................; una cosa es la amistad y otra el trabajo.
2. En el caso de que un familiar (*desear*) (6) .......................... hablarle de un problema suyo, ¿le atendería usted?
   a. Le (*atender*) (7) .........................., a no ser que no (*tener*) (8) .......................... mucho tiempo disponible.
   b. No, no solo por el tiempo que le (*llevar*) (9) .........................., sino también porque no le gusta inmiscuirse en problemas ajenos.
   c. Siempre (*ayudar*) (10) .......................... a alguien que se lo pide y más aún si (*ser*) (11) .......................... de la familia.
3. No es una de sus mejores épocas, pero, en caso de que su pareja (*estar*) (12) .......................... atravesando una situación aún peor, ¿cuál (*ser*) (13) .......................... su actitud?
   a. Si (*ver*) (14) .......................... que tiene dificultades serias, (*hacer*) (15) .......................... un esfuerzo por ayudarla.
   b. Siempre está dispuesto a ayudar, a condición de que su pareja (*hacer*) (16) .......................... lo mismo.
   c. (*Distanciarse*) (17) .......................... hasta que mejorase su propia situación y entonces le (*echar*) (18) .......................... una mano.
4. Si alguna de las personas con las que convive (*dejar*) (19) .......................... la cocina hecha un desastre, ¿la recogería usted?
   a. Solo si se lo (*pedir*) (20) .......................... expresamente.
   b. Seguramente, la (*recoger*) (21) .......................... . Usted suele tener ese tipo de detalles.
   c. (*Pensar*) (22) .......................... que la tiene que recoger quien la haya desordenado.
5. Siempre y cuando (*ser*) (23) .......................... usted de esas personas que de vez en cuando hacen favores a los otros, ¿por qué los hace?
   a. Los hace solo si (*querer*) (24) .......................... conseguir algo que le interesa, aunque no sea evidente.
   b. Si lo (*hacer*) (25) .........................., es simplemente por hacerlos. No espera nada a cambio.
   c. Lo hace porque así en el futuro tendrán que corresponder, si usted lo (*necesitar*) (26) ..........................
6. En el supuesto de que un compañero de trabajo le (*pedir*) (27) .......................... que le sustituya un puente[1], ¿lo (*hacer*) (28) ..........................?
   a. No, no (*sacrificar*) (29) .......................... un puente aunque no tenga planes especiales.
   b. Si (*ser*) (30) .......................... tan importante para su compañero, (*ceder*) (31) .......................... a cambio de otra fecha similar.
   c. Claro que lo (*sustituir*) (32) .......................... . A usted le da lo mismo.

AA.VV.: *El libro de los test* (adaptado), Madrid, Temas de Hoy

| Puntos | 1 | 2 | 3 | 4 | 5 | 6 |
|---|---|---|---|---|---|---|
| a | 0 | 1 | 0 | 1 | 2 | 2 |
| b | 1 | 2 | 1 | 0 | 0 | 1 |
| c | 2 | 0 | 2 | 2 | 1 | 0 |

**Hasta 3 puntos:** Si los demás le toman por tonto, es un problema de apreciación por parte de esas personas. Usted es bueno. **De 4 a 10 puntos:** Ni es egoísta ni es desprendido, ni es avaricioso ni deja de serlo, su ambición aparece por rachas. **A partir de 11 puntos:** ¡Caray! Usted solo va a lo suyo. Es usted realmente egoísta.

[1] *Puente*: día o serie de días que, entre dos festivos o sumándose a uno festivo, se aprovechan para vacaciones.

**2** **Une las siguientes frases utilizando la estructura condicional indicada. Haz las transformaciones necesarias.**

HOMEWORK

1. No haber un gran atasco. Llegar antes. (gerundio)
2. Obtener el préstamo del banco. Comprar esa casa. (*a condición de que*)
3. Visitar a nuestros familiares más a menudo. Vivir más cerca. (*de* + infinitivo)
4. Poder publicar la novela. Tener una subvención. (*en caso de*)
5. Poder cambiar de país. Vivir en Iberoamérica. (*en el supuesto de que*)
6. Firmar los acuerdos de Kioto. Contribuir al cambio climático. (*siempre y cuando*)
7. Dejar un mensaje. No estar en casa. (*si*)
8. Tener una educación. Llegar a ser lo que es. (*si* + p. pluscuamperfecto subjuntivo)
9. Llamar los agentes comerciales. Decirles que estamos en una reunión. (*en caso de que*)
10. Ir de vacaciones este año. Tocar la lotería. (*a menos que*)

**3** Indicativo o subjuntivo
**Completa el texto con los tiempos y modos adecuados.**

## Como agua para chocolate

[...] [La muerte de Nacha] (*tener*) (1) ............................ a Tita en un estado de depresión muy grande. (...) (*Ser*) (2) ............................ como si (*morir*) (3) ............................ su propia madre. Pedro [...] (*pensar*) (4) ............................ que (*ser*) (5) ............................ bueno llevarle un ramo de rosas al cumplir su primer año como cocinera. Pero Rosaura no (*opinar*) (6) ............................ lo mismo, y en cuanto lo (*ver*) (7) ............................ entrar con el ramo en las manos y dárselo a Tita en vez de a ella, (*abandonar*) (8) ............................ la sala presa de un ataque de llanto. [...] Tita (*apretar*) (9) ............................ las rosas con tal fuerza contra su pecho, que, cuando (*llegar*) (10) ............................ a la cocina, las rosas, que en un principio (*ser*) (11) ............................ de color rosado, ya (*volverse*) (12) ............................ rojas por la sangre de las manos y el pecho de Tita. (*Tener*) (13) ............................ que pensar rápidamente qué hacer con ellas. ¡(*Estar*) (14) ............................ tan hermosas! No (*ser*) (15) ............................ posible titarlas a la basura, en primera porque nunca antes (*recibir*) (16) ............................ flores y, en segunda, porque (*dárselas*) (17) ............................ Pedro. De pronto, (*escuchar*) (18) ............................ claramente la voz de Nacha, (*dictar, a ella*) (19) ............................ al oído una receta prehispánica donde (*utilizarse*) (20) ............................ pétalos de rosa.

Cuando (*sentarse, ellos*) (21) ............................ a la mesa [...] Pedro (*exclamar*) (22) ............................ cerrando los ojos con verdadera lujuria: «¡Este (*ser*) (23) ............................ un placer de los dioses!».

[...] Rosaura, pretextando náuseas y mareos, no (*poder*) (24) ............................ comer más que tres bocados. En cambio a Gertrudis algo raro le (*pasar*) (25) ............................ (*Parecer*) (26) ............................ que el alimento que (*estar*) (27) ............................ ingiriendo (*producir*) (28) ............................ en ella un efecto afrodisíaco, pues (*empezar*) (29) ............................ a sentir que un intenso calor le (*invadir*) (30) ............................ las piernas. Un cosquilleo en el centro de su cuerpo no la (*dejar*) (31) ............................ estar correctamente sentada en su silla. (*Empezar*) (32) ............................ a sudar y a imaginar qué (*sentirse*) (33) ............................ al ir sentada al lomo de un caballo, abrazada [...] por uno de esos que (*ver*) (34) ............................ una semana antes entrando a la plaza del pueblo...

Esquivel, L.: *Como agua para chocolate* (adaptado)

## 4 *¿Ser o estar?*

**Completa con *ser* o *estar* en el tiempo y modo adecuados.**

### Cabeza rapada

(1) ............................ un viento templado. Las hojas volaban llenando la calzada, remontándose hasta caer de nuevo desde las copas de los árboles. Su cabeza rapada al cero aparecía oscura del sudor y el sol, como las piernas con sus largos pantalones de pana. No había cumplido los diez años; (2) ............................ un chico pequeño. Íbamos andando a través de aquel amplio paseo [...] Menudas y rojizas hojas secas, pardas, como de castaño enano o abedul, llenaban todos los huecos por pequeños que (3) ............................ , pegándose a nosotros como el alma al cuerpo.

[...] Aunque no hacía frío nos arrimamos a una hoguera. [...] Allí (4) ............................ un buen rato, llenando de él nuestros pulmones, hasta que el chico se puso a toser de nuevo.

- ¿Te duele? -le pregunté.

Y contestó:

- Un poco -hablando como con gran trabajo.

- Podemos (5) ............................ un poco más, si quieres.

Dijo que sí, y nos sentamos. (6) ............................ enormes aquellos árboles, flotando sobre nosotros [...]

El chico volvió a quejarse.

- ¿Te duele ahora?

- Aquí, un poco...

Se llevó la mano bajo la camisa. (7) ............................ de piel blanca, sin rastro de vello, cortada como las manos de los que en invierno trabajan en el agua. [...]

- No te apures; ya pasará como ayer.

[...] - Este chico no (8) ............................ bueno.

- ¡Qué va! No (9) ............................ más que frío...

El chico no decía palabra. Miraba el fuego pesadamente, casi dormido...

- No (10) ............................ bueno.

Fernández-Santos, J.: *Cabeza rapada* (adaptado)

## 5 Preposiciones

**Completa con la preposición que falta.**

1. No era responsable .............. sus actos, pues se encontraba bajo los efectos de las drogas.
2. Debes decidir qué quieres hacer en tu vida y centrarte solo .............. eso.
3. A mí me tienen .............. cuidado los comentarios de los vecinos, si te pasas la vida pensando en el qué dirán, pierdes tu libertad.
4. Llegaron incluso .............. decir que el niño no era hijo suyo, que era de su hermana pequeña.
5. Veía .............. todo aquello un intento de reconciliación por su parte, pero yo no estaba por la labor.
6. Aunque es un tipo difícil, con una dosis .............. paciencia podrás entenderte bien con él.
7. El equipo de esquí viene .............. costar unos 1 000 euros.
8. No conozco personalmente a la familia Zubizarreta, solo .............. oídas.
9. No hay nada equiparable .............. el amor de una madre por sus hijos.
10. Fue relegado .............. los trabajos más ingratos, pero no se dio por vencido.

6 Completa el texto con estos términos.

~~a pesar de que~~ ■ ~~casi~~ ■ ~~tan~~ ■ ~~hasta~~ ■ ~~junto con~~
~~aunque~~ ■ ~~cuales~~ ■ ~~por desgracia~~ ■ ~~cuando~~

HOMEWORK

## El Amazonas

En este llamativo estado hay zonas en las que solo se permite viajar de forma independiente a científicos y misioneros, (1) ............................ los campamentos permiten explorar el interior a grupos de turistas.

### Abundancia natural

En el estado de Amazonas crecen unas 8000 especies de plantas aproximadamente, 7000 de las (2) ............................ son endémicas. Orquídeas, bromelias y musgo alfombran la selva tropical lluviosa con una cubierta (3) ............................ espesa e inmensa que parece impenetrable. Los jaguares merodean en la profundidad de la selva, (4) ............................ ocelotes, venados, tapires, osos hormigueros gigantes, pecarís y media docena de diferentes especies de monos.

En este estado hay 680 especies de aves, que incluyen tucanes de magníficos colores, loros y guacamayos. También hay insectos en abundancia: cientos de familias diferentes y sus diversas clases, incluidas mariposas de intensos colores fosforescentes y cucarachas de (5) ............................ 15 centímetros. Los escorpiones y las tarántulas corren por el suelo de la jungla y en sus ríos abundan las anguilas eléctricas, las pirañas, los caimanes y cocodrilos, los pavones, los delfines de agua dulce y la tortuga terecay, (6) ............................ en vías de extinción.

### Un ecosistema delicado

(7) ............................ el Amazonas muestra una vida exuberante, el ecosistema de la selva tropical lluviosa es muy delicado y (8) ............................ se despeja terreno para dedicarlo a la agricultura los nutrientes poco profundos se filtran y las lluvias los arrastran, dejando a su paso un paisaje desértico.

(9) ............................ 6,3 millones de hectáreas de este estado disfrutan de la protección que les otorga el régimen especial que le confirió el Ministerio de Medio Ambiente.

Guía Turística de Venezuela (adaptado)

## Algo más

### por

- **Causa, motivo, razón:** *El partido se suspendió por la lluvia.*
- **Tiempo:**
  - Tiempo aproximado: *Eso fue por mayo.*
  - Frecuencia: *Hago gimnasia tres veces por semana.*
  - Lapso de tiempo = *durante*: *Este cambio es solo por unos días.*
  - Partes del día: *Por la mañana, por la tarde, por la noche.*
- **Localización:**
  - Lugar aproximado: *Ese pueblo está por Lugo.*
  - Lugar que se atraviesa o recorre: *Han viajado por toda Europa.*
  - A lo largo de: *Bajó por las escaleras.*
- **En representación de, en nombre de:** *Firma por mí.*
- **Medio, modo:** *Te lo enviaré por correo aéreo. Lo hicieron por las buenas.*
- **Valor concesivo (*aunque*):** *Por mucho que trabaje, no ascenderá.*
- **A cambio de, precio, cuantía:** *Lo compré por poco dinero.*
- **Complemento agente:** *Fue detenido por la policía.*
- **En busca de:** *Iré por ti a la estación.*
- **Sin:** *Tengo todavía muchos ejercicios por corregir.*
- **Sentimientos (en beneficio de, en defensa de):** *Siento una gran admiración por su obra.*
- **Implicación personal:** *Por mí no hay problema, puedes hacerlo.*

## Algo más

### para

- **Finalidad, objetivo, destino, meta:** *Abrió la puerta del garaje para meter el coche.*
- **Tiempo:**
  - Límite temporal en el futuro, final de un plazo: *Para las dos estará listo.*
  - Antes de la fecha: *Lo tendremos terminado para su cumpleaños.*
  - Hasta: *Dejaron lo que estaban haciendo para otro momento.*
  - *Ir para* + tiempo = *hace casi*: *Va para dos años que se conocen.*
- **Movimiento (en dirección a, hacia):** *Van para casa.*
- **Punto de vista, opinión:** *Para mí ese tema es de suma importancia.*
- **Dedicado, destinado a:** *Este libro es para ti.*
- **Contraposición (*aunque*):** *Para ser extranjero pronuncia muy bien.*
- **Contraste entre un hecho determinado y otro que lo desmiente (*para que* + subj.):** *Al final vinieron todos a la fiesta. ¡Para que luego digas que no tienes amigos!*
- **Valoración negativa de una acción + acción preferible (*para* + *lo que* + verbo + *mejor...*):** *Para lo que hace, mejor que se quede en casa.*

**Otras expresiones**

*Por favor, por Dios, por si las moscas, por si acaso, por descontado, por supuesto, por cierto, por fin, por más que, por mucho que, por lo bajo, por sorpresa, por suerte, por desgracia, por ahora, por lo visto, por lo menos, por fuera, por dentro,* etc.

*Para bien o para mal, para colmo (de males), para más inri, para sus adentros,* etc.

CLASS WORK

### 7 ¿Por o para?

**Completa con la preposición adecuada.**

- sentimiento POR alguien
- para colmo de males = expresión (on top of everything)

## Primeros amores

Samuel era un niño un poco raro (1) ..para..... su edad (2) ..por.......... la gran cantidad de libros que leía. Se levantaba (3) ..por......... las mañanas temprano (4) ..para........ leer antes de ir al colegio. Si alguna vez se portaba mal, sus padres le prohibían leer (5) ..para...... castigarlo, aunque no lo conseguían (6) ..por......... más que lo intentaran, pues Samuel siempre se las ingeniaba (7) ..para...... seguir con sus lecturas. Siempre pedía libros (8) ..por........ Navidad y (9) ..para........ regalo de cumpleaños, y no se sentía atraído (10) ..por......... los juguetes que recibían sus hermanos.

(11) ..Para........ la maestra era el alumno ideal, pero (12) ..para........ sus compañeros Samuel era un bicho raro, y le pusieron el mote de «libritos» –(13) ..por........ el que era conocido en toda la escuela–. (14) ..Para........ él eso era un honor (15) ..por......... la superioridad intelectual que indicaba.

Sus problemas empezaron con la adolescencia y el interés que empezaba a sentir (16) ..por........ las chicas y, en concreto, (17) ..por....... Rosa.

Samuel estaba dispuesto a todo (18) ..para...... despertar la admiración de Rosa, pero no sabía qué hacer. (19) ..Para...... colmo de males, Samuel era muy tímido y si se encontraba con ella (20) ..por.......... los pasillos de la escuela, le daba (21) ..por......... silbar y mirar (22) ..para......... otro lado (23) ..para........ ocultar su emoción.

(24) ..Por.......... fin, un día Samuel encontró valor suficiente (25) ..para......... agarrarla suavemente (26) ..por......... el brazo y preguntarle (27) ..por......... su ausencia durante unos días:

«¿Has estado enferma, Rosa? Estaba preocupado (28) ..por............ ti».

Desde aquel día, y (29) ..por........ muchos años, Samuel y Rosa fueron íntimos amigos hasta que las circunstancias de la vida acabaron (30) ..por........ separarlos (31) ..para........ siempre.

# EXPRESIÓN E INTERACCIÓN ESCRITAS

## Antes de nada

### Referencias

- s/ref. (su referencia): se utiliza solo en respuesta a una carta. El tema de la referencia puede ser:
  - La fecha de la carta.
  - El asunto de la carta.
- n/ref. (nuestra referencia): normalmente aparecen las iniciales del autor de la carta (en mayúsculas). En algunas ocasiones puede aparecer un número que hace referencia al código de archivo.

**s/ref.:** PJ | **n/ref.:** MS/245 | **s/ref.:** envío de catálogo

### Asunto

- Normalmente el asunto resume en pocas palabras el contenido o motivo de la carta.

**Asunto:** envío lista de precios

**Asunto:** oferta del mes

**Asunto:** reclamación de daños

## Siento tener que rechazar su oferta

### Rechaza una propuesta

- Has terminado tu formación como guía turístico; un amigo español te ha puesto en contacto con una agencia de viajes mexicana que busca contactos en el extranjero para ampliar su oferta turística. Dicha agencia te ha ofrecido un puesto de trabajo, pero no te interesa. Escríbeles una carta en la que deberás:
  - Agradecer su oferta.
  - Rechazar amablemente la propuesta que te hacen.
  - Explicar las causas de dicho rechazo.
  - Despedirte dejando «una puerta abierta» a otras posibilidades.

## Recursos

**Dar las gracias**

*Le estoy muy agradecido/a...*
*Le agradezco...*
*Querría darle las gracias...*

**Rechazar algo**

*Siento tener que rechazar...*
*Lamento tener que comunicarle...*
*Lo cierto es que en estos momentos no...*

**Locuciones causales**

*Dado que...*
*Puesto que...*
*Ya que...*
*Como...*
*Como quiera que...*
*Por culpa de...*
*Debido a...*

**Locuciones condicionales**

*En el caso de (que)...*
*En el supuesto de (que)...*
*Salvo (que)...*
*A ser posible...*

# Elogio del turista

«Una diferencia separa a los conspicuos viajeros del siglo XIX de los turistas de hoy. Aquellos afirmaban su peculiaridad, adensaban su biografía y ganaban consistencia a través de las peripecias que les sucedían en sus trayectos, pero al turista de hoy no le sucede nada de esto, pues viaja para ver y a salvo de peripecias, incluso al resguardo del contacto con los indígenas y sus enfermedades».

«El viajero tradicional llegaba de su odisea y no paraba de contar los hechos y sucesos que le habían acaecido, escribía libros, se convertía en el ascua de las tertulias [...] El turista contemporáneo, por el contrario, cuando regresa, no importa el lugar donde haya estado ni el tiempo consumido, no tiene nada que decir».

Verdú, V.: *Revista de Occidente*

## uenta tu experiencia

erdú afirma que a diferencia del viajero tradicional, «El ırista contemporáneo, (...) cuando regresa, no importa lugar donde haya estado ni el tiempo consumido, no ene nada que decir».

- ¿Estás de acuerdo con esta afirmación? ¿Qué diferencia hay entre un viajero y un turista, según tu punto de vista?
- Cuenta un viaje (entre 150 y 200 palabras) del que sí tengas algo importante que decir. En tu texto comenta:
  - Qué tipo de viaje hiciste: organizado, por tu cuenta, solo o con amigos, etc.
  - Qué lugar visitaste: dónde estaba, cómo era, qué había, etc.
  - ¿Qué te sorprendió? ¿Cómo eran los lugareños y cuáles eran sus tradiciones, su alimentación, etc.?
  - ¿Por qué fue tan importante ese viaje para ti?
  - Cuenta algunos hechos que quedaron grabados en tu memoria.

**La descripción consiste en**

- *Mostrar con las palabras una realidad concreta o abstracta.*
- *Informar sobre cómo son los lugares, objetos, ambientes, personas, procesos, emociones o conceptos.*
- *Explicar, de forma detallada y ordenada, cómo son las personas, los lugares o los objetos.*

**La narración consiste en**

- *Contar una serie de hechos reales o imaginarios que les suceden a unos personajes en un lugar y tiempo concretos.*

# EXPRESIÓN E INTERACCIÓN ORALES

## La lengua nuestra de cada día

### Cada oveja con su pareja

**1** Relaciona las expresiones con su definición.

1. Ser de armas tomar.
2. Estar como unas pascuas.
3. Tirar la casa por la ventana.
4. Escurrir el bulto.
5. Ser la casa de tócame Roque.

a. Evitar o eludir un riesgo o compromiso.
b. Ser demasiado atrevido, peligroso, autoritario.
c. Lugar sin orden ni disciplina, donde uno hace lo que quiere.
d. Estar alegre y contento.
e. Derrochar alegremente en una ocasión.

### Un paso más

**2** Completa con una de las expresiones anteriores.

1. Es mejor que no te enfrentes a él, es un tipo ............................
2. Éramos diez hermanos y mis padres no sabían imponernos una disciplina, así que aquello ............................
3. Se casó su única hija y decidieron ............................
4. Voy a tratar de ............................ porque no quiero participar en ese proyecto. Estoy harta de tanto trabajar.
5. ¡Por fin vamos a hacer el viaje a Sudamérica que durante tanto tiempo habíamos programado! Constantino y yo ............................

### ¿A que no sabes?

**3** Contesta a las preguntas.

**Nota:** para conocer más expresiones te recomendamos *Hablar por los codos*, Vranic, G.

# Hablando se entiende la gente

## Mirar al mundo con ojos de mujer

Cuando decimos que ahora hemos de mirar el mundo con ojos de mujer o que las mujeres son imprescindibles en la construcción de la sociedad, ¿qué queremos decir? Por ejemplo, planteo algunas preguntas, que la sociedad ha de contestar, y el feminismo es el que debería hacer más esfuerzos de reflexión para poder avanzar en estas cuestiones:

¿Tenemos que considerar, como se ha hecho a menudo, que la maternidad es solo una servidumbre de las mujeres, y no una fuente de creatividad y placer?

¿Tenemos que considerar como síntoma de igualdad que una mujer tenga que trabajar incluso embarazada de nueve meses para demostrar que lo puede hacer igual que un hombre?

¿Tenemos que aceptar que el ideal de vida es trabajar 10 horas diarias como mínimo?

Gallego, J.: *Claves de la razón práctica* (adaptado)

### Intervienen

- Hombres en contra de que las mujeres casadas con hijos trabajen fuera del hogar.
- Mujeres defensoras del derecho a trabajar fuera para poder realizarse como personas y al mismo tiempo sentirse independientes económicamente.
- Mujeres profesionales que renuncian a tener una familia.
- Hombres que apoyan a las mujeres que trabajan fuera del hogar.

### Prepara tu intervención

- Elige uno de los papeles anteriores y reflexiona sobre lo que has leído desde ese punto de vista.

### Debate

- El moderador abre el debate planteando las preguntas que se hace J. Gallego en el texto inicial.
- El debate se centrará en:
  - Los roles de cada sexo en el seno de la familia.
  - Aportación del feminismo a la liberación de la mujer.
  - Igualdad de derechos laborales para los dos sexos.
  - Trabajos exclusivos de hombre o de mujer.

# RESUMEN GRAMATICAL

## ORACIONES CONDICIONALES

### EXPRESIÓN DE LA CONDICIÓN

- **Con indicativo:** excepto con el futuro (simple y compuesto) y el condicional (simple y compuesto). Condición probable con *si*:
  - si: *Si puedo, lo haré.*
  - por si (acaso): *Llévate el paraguas, por si llueve.*
- **Con subjuntivo:** condición improbable o imposible con *si* y todas las demás partículas y locuciones.
  a. Si se refiere al presente o al futuro (*si* + p. imperfecto + condicional simple).
  *Si viniera antes, vería el espectáculo completamente.*
  b. Si se refiere al pasado (*si* + p. pluscuamperfecto + condicional compuesto/p. pluscuamperfecto).
  *Si me hubiera acordado, te lo habría/hubiera dicho.*
  c. Si la primera parte se refiere al pasado, la segunda al presente (*si* + p. pluscuamperfecto + condicional simple).
  *Si no hubiera nevado tanto esta noche, ahora podríamos salir de casa.*
  d. Si la primera parte tiene un valor intemporal y la segunda se refiere al pasado (*si* + p. imperfecto + condicional compuesto/p. pluscuamperfecto).
  *Si estuviera aquí, se habría/hubiera enterado de todo.*

**Otras partículas y locuciones condicionales**

- como: *Te castigaré como salgas de casa.*
- en (el) caso de que: *En el caso de que llame, dile que ya lo sé.*
- (solo) con que: *Con que llueva un poco, me conformo.*
- a condición de que: *Te regalo el encendedor a condición de que lo utilices.*
- a menos que/a no ser que/excepto que/salvo que: *Haz lo que te han dicho, a menos que sea peligroso.*
- en el supuesto de que: *Saldrá de prisión en el supuesto de que lo indulten.*
- siempre que/siempre y cuando: *Te compraré una bicicleta siempre que seas buena.*
- con tal (de) que: *Conseguirás el premio con tal de que te lo propongas.*
- no sea/vaya a ser que: *Coge el paraguas, no sea que llueva.*

- **Con formas no personales**
  - (en [el]) caso de + infinitivo/nombre: *En caso de llegar antes/de retraso, te esperaríamos.*
  - a condición de + infinitivo: *Me lo regaló a condición de utilizarlo.*
  - en el supuesto de + infinitivo: *En el supuesto de resultar premiados, comuníquennoslo inmediatamente.*
  - con tal de + infinitivo: *Hace lo que sea con tal de llamar la atención.*
  - a ser posible: *A ser posible, termínalo ahora mismo.*
  - a decir verdad: *A decir verdad, no nos gusta gran cosa el caviar.*
  - de + infinitivo: *De haberte dado una ducha, no hubieras tenido tanto calor.*
  - gerundio: *Jugando con inteligencia, podrás ganar el partido.*
  - participio: *Carlos, tratado con bondad, es buena persona.*

Para consolidar y ampliar tus conocimientos te recomendamos...

Los únicos tiempos que no pueden aparecer en la oración subordinada condicional son el *futuro y el *condicional, ni simples ni compuestos.

# Unidad 6

## COMPRENSIÓN LECTORA

- **Ángeles Mastretta:** *Una luz que curaba*
  - **Más de cerca:** actividades y estrategias de control de la comprensión.
  - **Enriquece tu léxico:** actividades y estrategias de ampliación del vocabulario.

## COMPRENSIÓN AUDITIVA

- **Presentación:** *La Mancha: una región de España*
  - Tareas y estrategias de control de la comprensión.

## COMPETENCIA GRAMATICAL

- **Contenidos específicos**
  - Oraciones comparativas y modales.
- **Contenidos generales**
  - Tiempos y modos verbales.
  - Contraste *ser/estar.*
  - Preposiciones.
  - Completa con la expresión adecuada.
- **Algo más**
  - Uso de *se.*

## EXPRESIÓN E INTERACCIÓN ESCRITAS

- **Escribir una carta solicitando una subvención**
  - Convencer y persuadir. Despedirse esperando una respuesta.
- **Redactar un texto de opinión**
  - *Comprar a cualquier precio*

## EXPRESIÓN E INTERACCIÓN ORALES

- **La lengua nuestra de cada día**
  - Expresiones, refranes y frases hechas.
- **Hablando se entiende la gente**
  - **Debate:** *¿Derecho a morir?*

## RESUMEN GRAMATICAL

- Oraciones comparativas y modales.

# Ángeles Mastretta

VIDA Y OBRA

La escritora y periodista mexicana (1949) estudió Periodismo en la facultad de Ciencias Políticas y Sociales de la Universidad Nacional Autónoma de México (UNAM) y posteriormente colaboró ocasionalmente en medios como *Excélsior, La Jornada, Proceso* y *Ovaciones*. En este último poseía una columna en la cual «escribía de todo: de política, de mujeres, de niños, de lo que veía, de lo que sentía, de literatura, de cultura, de guerra y todos los días». Fue directora de Difusión Cultural de la ENEP-Acatlán y del Museo del Chopo. Es también miembro del Consejo Editorial de la revista *Nexos*. Colabora habitualmente con *Die Welt* y *El País*. Ha colaborado y sigue apareciendo en el Consejo Editorial de la revista feminista mexicana *FEM*.

Es conocida por crear personajes femeninos sugerentes y ficciones que reflejan las realidades sociales y políticas de México. Su primera y más polémica novela es precisamente *Arráncame la vida* (1985), a la que siguieron *Mal de amores* (1996), *Ninguna eternidad como la mía* (1999) y *El cielo de los leones* (2003). Ha escrito también poesía y libros de relatos como *El mundo iluminado* (1998) y uno de los treinta y cinco cuentos que se incluyen en él es *Una luz que curaba*.

## Una luz que curaba

Digo su nombre para consolarme del espanto con que supe de su muerte. Era un hombre generoso y sabio, como solo pueden serlo los pocos seres humanos que albergan en su corazón la diaria memoria de que no somos vivos eternos. Tal vez porque todos los días lidiaba con la muerte y sabía cómo nombrarla callándosela, sabía que semejante enamorada nos sorprende siempre con el desfalco de lo insólito, sabía como nadie consolar de ese desfalco, porque como nadie sabía que los muertos habitan el corazón de los vivos que no les niegan la entrada.

Se llamaba Teodoro Césarman, era médico. Un cardiólogo singular al que uno consultaba sin clemencia, y sin que él hiciera valer el alto rango de su especialidad, lo mismo para un catarro que para una gastritis, una alergia, un juanete, un mal amor o una inaplazable voluntad de suicidio. Yo siempre supuse que era así porque él creía que todos los males menores y mayores están regidos por las glorias y pesadumbres que aquejan el corazón. Y porque a semejante certidumbre llegó gracias a la inusitada belleza que albergaban los vericuetos de su índole noble. Tal vez por eso, cuando un joven de veinte años fue a buscarlo en mi nombre diciéndole que el aire se cerraba contra su pecho y que no sentía vida en sus entrañas desde hacía varios días, él, que de solo mirarlo lo supo sano como un león, tuvo la paciencia de tratarlo como a un enfermo grave y le hizo un electrocardiograma, una radiografía, un ultrasonido, una lenta auscultación y una prueba de resistencia. Le dio una palmada en el hombro, le entregó sus resultados y le recomendó que leyera a León Felipe.

Después lo despidió sin cobrarle un centavo. El joven se curó en unos días. ¿Quién no? Si todos los que tuvimos el afán de su amistad aprendimos a curarnos con mirarlo, y no sé cómo hemos de sobrevivir sin sus ojos enderezando nuestros pesares, sonriéndoles a nuestros temores:

—Teodoro, hace días que despierto con un temblor cayendo sobre mi frente como una lagartija, y la cabeza me duele como si dentro rugiera un tren.

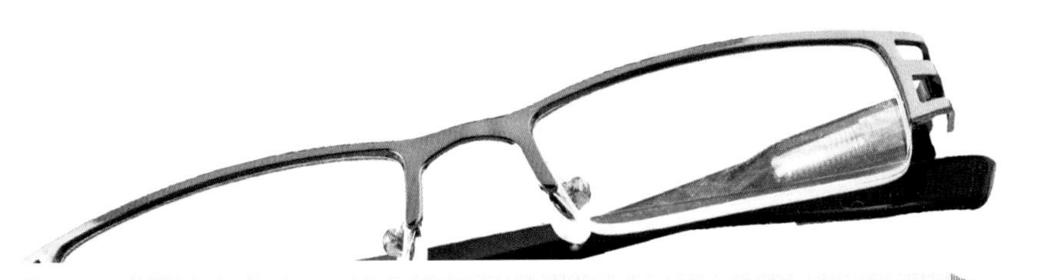

—Urge que termines ese libro —decía mientras me con-
olaba poniendo la punta del estetoscopio contra mi espalda.
uego conversábamos sobre el país, sobre el último cuadro de
osele, esa especie de diosa de la alegría que ha sido siempre su
nujer, sobre la ciudad, los hombres que la cuidan y descuidan,
a dieta y la disciplina como la única de sus prohibiciones.

—Come lo que te haga feliz, habla de lo que te haga feliz,
quiere a quien te haga feliz, corre si te hace feliz, no te muevas
i eso te hace feliz, fuma si te da tranquilidad, no fumes si fu-
nar te disgusta. No te quites la sal, ni el azúcar, ni el amor, ni
a poesía, ni el mar, ni el colesterol, ni los sueños, y quiere a tus
amigos y déjalos quererte, y no te opongas a tu destino porque
esa enfermedad no la sé curar.

Cónsul de nuestras desdichas, comandante de nuestros ex-
travíos, lo llamábamos para avisarle que el tren había dejado
nuestra cabeza y él preguntaba como quien borda:

—¿La taquicardia también se te quitó?

—No me dijiste que tuviera taquicardia.

—¿Querías que te curara o que te aleccionara? Ven a verme
cuando acabes el libro.

Y uno siempre iba a verlo al terminar un libro. Iba como
quien le lleva veladoras a un santo. A ponerle la ofrenda y pedirle ayuda para sobrevivir al milagro.

Era un lujo su voz a media tarde como la respuesta de un
cielo misericordioso y audaz. Acudíamos a oírlo como quien
busca al agua y al pan tierno. Renato Leduc, siendo ya muy
viejo, me había invitado a conocerlo como invitan los niños
a compartir un tesoro. Y fuimos a comer con él a un restorán
del centro lleno de las algarabías que Renato consideraba imprescindibles para la buena digestión. Césarman nos esperaba
fumando frente a su aperitivo. No sé si seré capaz de recordar
a Teodoro sin el cigarro atravesado en sus labios.

Mastretta, Á.: *El mundo iluminado*

## Más de cerca

### 1 Señala si es verdadero (V) o falso (F) según lo que escribe la autora en el texto.

| | V | F |
|---|---|---|
| 1. Césarman era un médico de familia que soñaba con ser cardiólogo. | ☐ | ☐ |
| 2. El médico reconocía los síntomas psicosomáticos de sus pacientes y sabía cómo tratarlos. | ☐ | ☐ |
| 3. El éxito de Césarman se debía a la exhaustividad de sus chequeos médicos y la dieta que imponía a sus pacientes. | ☐ | ☐ |
| 4. En cierta ocasión recomendó la lectura de cierto poeta a un joven para ocultarle la gravedad de su dolencia. | ☐ | ☐ |
| 5. Césarman entendía que la mayoría de las dolencias nacen en el corazón humano. | ☐ | ☐ |

### 2 Elige la opción correcta.

1. **Césarman era un hombre sabio porque…**
   a. conocía bien la naturaleza humana.
   b. era el mejor especialista en afecciones cardíacas.
   c. nombraba continuamente a la muerte.

2. **Al joven que acudió a su consulta recomendado por la autora del texto…**
   a. lo engañó haciéndole pensar que estaba muy grave.
   b. no le cobró la consulta.
   c. le realizó un examen detallado para cerciorarse en su diagnóstico.

### 3 Redacta un artículo de opinión.

1. **Redacta un breve artículo para una revista especializada donde des tu opinión sobre:**
   - La influencia del estado anímico en la salud.
   - Las cualidades que debe tener un profesional de la medicina.
   - El derecho a recibir asistencia sanitaria gratuita por parte de los habitantes de un país.
2. **Pon un título a tu artículo.**

## Enriquece tu léxico

**1** Relaciona las palabras del texto con sus sinónimos.

| | |
|---|---|
| 1. consolarse | a. afectar |
| 2. espanto | b. aflicción |
| 3. albergar | c. anhelo |
| 4. lidiar | d. apremiar |
| 5. desfalco | e. batallar |
| 6. singular | f. bullicio |
| 7. rango | g. categoría |
| 8. regir | h. cobijar |
| 9. pesadumbre | i. compasivo |
| 10. aquejar | j. desagradar |
| 11. disgustar | k. especial |
| 12. vericueto | l. estafa |
| 13. índole | m. exploración |
| 14. entrañas | n. golpe |
| 15. auscultación | ñ. naturaleza |
| 16. palmada | o. regentar |
| 17. afán | p. sendero |
| 18. urgir | q. serenarse |
| 19. misericordioso | r. terror |
| 20. algarabía | s. vísceras |

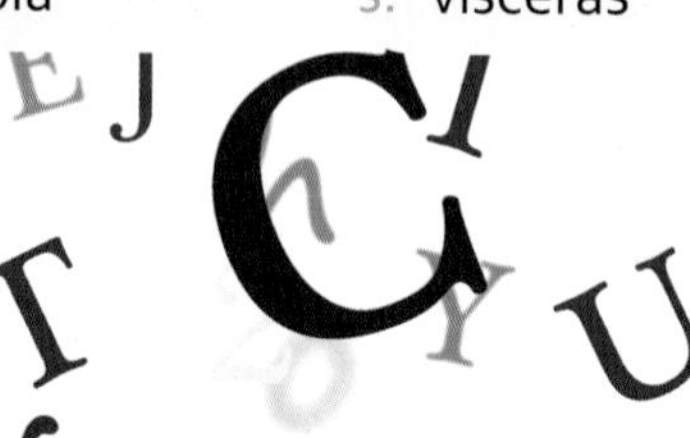

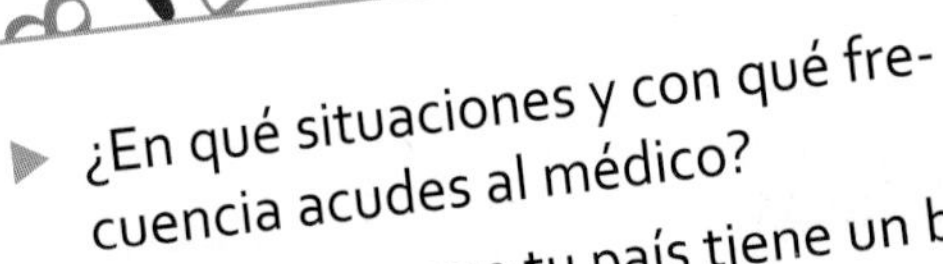

**¿Y tú?**

- ¿En qué situaciones y con qué frecuencia acudes al médico?
- ¿Consideras que tu país tiene un buen sistema sanitario? ¿Qué mejorarías y qué no?
- ¿Consideras que el sistema sanitario debería ser gratuito para todos?

**2** Encuentra el antónimo.

| | |
|---|---|
| 1. insólito | a. acostumbrado |
| 2. clemencia | b. alegría |
| 3. inaplazable | c. cobarde |
| 4. certidumbre | d. crueldad |
| 5. enderezar | e. desorganización |
| 6. pesar | f. duda |
| 7. desdicha | g. eludible |
| 8. extravío | h. fortuna |
| 9. audaz | i. orientación |
| 10. disciplina | j. torcer |

REAL ACADEMIA ESPAÑOLA

Diccionario de la lengua española

**3** ¿Qué sentido tienen estos términos en el texto de Mastretta? Elige la opción correcta.

**Aleccionar**

1. tr. Impartir lecciones a alumnos avezados U. t. c. prnl.
2. tr. Instruir, amaestrar, enseñar. U. t. c. prn

**Estetoscopio**

1. tr. Med. Aparato destinado a auscultar los sonidos del pecho y otras partes del cuerpo, ampliándolos con la menor deformación posible.
2. tr. Med. Aparato destinado al cuidado de la belleza del cuerpo, especialmente del pecho.

**4** **Completa cada frase con uno de los siguientes términos. Haz las transformaciones necesarias.**

afán ■ albergar ■ algarabía ■ aquejado ■ auscultación ■ consolarse ■ desfalco
disgustar ■ entrañas ■ espanto ■ franja ■ índole ■ lidiar ■ misericordioso
palmada ■ pesadumbre ■ rango ■ regir ■ singular ■ urgir ■ vericueto

1. «El que no ............................ es porque no quiere».
2. He vivido tanto que ya no me sorprendo de nada. Estoy curado de ............................ .
3. Se separaron, pero él ............................ la esperanza de volver a estar juntos un día.
4. Nunca se rindió y ............................ con su enfermedad hasta el final.
5. Fue llevado a juicio por el ............................ en el banco que dirigía.
6. Su inteligencia y bondad hacen de él una persona ............................ .
7. Era muy esnob y solo se codeaba con personas de su ............................ .
8. El presidente ............................ los destinos de la nación durante dos mandatos consecutivos.
9. La muerte de su padre le causó una gran ............................ .
10. En los últimos años han aumentado los casos de adolescentes ............................ de anorexia y bulimia nerviosa.
11. Lo que más me ............................ de él es su falta de educación.
12. Para llegar al acantilado nos hizo andar por ............................ peligrosísimos.
13. La telepatía es una facultad de ............................ paranormal que no se puede explicar por la ciencia.
14. Ante tal injusticia, sintió la rabia hirviendo en sus ............................, pero no pudo reaccionar.
15. Para realizar la ............................ los médicos utilizan un aparato llamado *estetoscopio*.
16. Lo despidió cariñosamente con una ............................ en la espalda.
17. Se desvivía trabajando en su ............................ de sobresalir en la empresa.
18. ............................ encontrar una cura rápida y eficaz del ébola.
19. Los vencedores dispensaron un trato ............................ a sus prisioneros.
20. Los hinchas del equipo recibieron en el aeropuerto a los jugadores y su entrenador con gran ............................ .

**5** **¿Con cuál de estos especialistas deberías concertar una cita si tienes los siguientes síntomas o problemas?**

dermatólogo ■ otorrinolaringólogo (otorrino) ■ odontólogo (dentista)
■ ginecólogo ■ geriatra ■ endocrinólogo (endocrino)

1. La bisabuela presenta síntomas de demencia senil.
2. Tienes un problema con el funcionamiento de la glándula tiroides.
3. Te han salido granos en la cara y una amiga te dice que se trata de acné juvenil.
4. Eres maestro de primaria y te has quedado casi completamente afónico.
5. Tú y tu pareja estáis esperando un bebé.
6. Tienes las encías inflamadas.

# COMPRENSIÓN AUDITIVA

# La Mancha, una región de España

DELE
Actividades de ayuda para la preparación del DELE.

Audio descargable en tuaulavirtual www.edelsa.es

Pista 6

**1** Vas a escuchar una presentación sobre una de las regic de España. Después, redacta un texto expositivo ( palabras) con los puntos principales y expresa tu opir al respecto.

**2** Vuelve a escuchar el texto y completa estas anotaciones que se han tomado con cuatro de las diez opciones que te damos.

| | |
|---|---|
| a. riguroso | f. sofocante |
| b. la comarca natural | g. parte hundida |
| c. la región plana | h. cálido |
| d. monotonía y poca sombra | i. zona húmeda |
| e. la falta de agua y la tierra seca | j. el paisaje árido y la meseta elevada |

1. Entre Toledo, Cuenca, Ciudad Real y Albacete existe una planicie considerada de las más extensas de Europa y ............................ más amplia de España.
2. En esta región de clima extremo, el calor del verano es ............................ y el frío del invierno es muy severo.
3. ............................ son algunas de las características de La Mancha.
4. En contraste, hay también una ........................ en la que coexisten varias formas de almacenamiento de agua: las Tablas de Daimiel y las lagunas de Ruidera.

**3** ¿Lo has entendido bien? Elige la opción correcta.

**1. La Mancha...**

a. es una de las llanuras más extensas de Euro
b. por su perfección es la mayor comarca de paña.
c. no tiene un clima muy riguroso por encont se en una altiplanicie.

**2. La región de La Mancha...**

a. nos produce un sofoco cuando la visitamc
b. tiene una escasa pluviosidad.
c. está formada por inmensas llanuras hún das.

**3. El paisaje de La Mancha es...**

a. totalmente árido y monótono.
b. en su mayor parte árido.
c. en algunas zonas verde y con flores.

## 1 Oraciones comparativas y modales

**Observa las fotografías. ¿Puedes continuar el párrafo? Con los nexos comparativos y modales que te damos describe cada una de ellas.**

Las personas que aparecen en las fotos son bastante mayores.
Ninguno tiene menos de 70 años. Sin embargo...

**Comparativos**
*igual de, tal/tales... como/cual, tan... como, ... tanto como, ... tanto cuanto, diverso, distinto, diferente, cuanto más/menos... (tanto) más/menos*

**Modales**
*(tal y) como, como que, según (y como), como si, igual que si, lo mismo que si, sin que, como para*, etc.

## 2 Indicativo o subjuntivo

**Completa el texto con los tiempos y modos adecuados.**

### La hija predilecta

Vivo tan lejos de la ciudad donde vive mi madre que no puedo responder inmediatamente a esta llamada de urgencia. La ciudad donde vive mi madre, he dicho, y es una frase que me suena irreal: apenas vive, mi madre se va a morir. Mi madre (*morirse*) (1) ............................ en la ciudad lejana, casi inaccesible, hacia la que ahora me dirijo lentamente, en el primer tren que (*poder*) (2) ............................ coger, un tren lento, en el que no (*poder*) (3) ............................ hacer otra cosa que pensar si (*llegar*) (4) ............................ a tiempo, si aún la (*ver*) (5) ............................ viva.

(*Saber*) (6) ............................ que esto (*pasar*) (7) ............................, que un día me (*llamar*) (8) ...................... mi prima Ángela y me (*decir*) (9) ............................ que mi madre (*morirse*) (10) ............................, y yo (*correr*) (11) ............................ a la estación en busca de un tren que me (*llevar*) (12) ............................ hasta ella. El único avión que (*llegar*) (13) ............................ a la ciudad de mi madre (*salir*) (14) ............................ hace unas horas.

También (*saber*) (15) ............................ eso, que Ángela me (*llamar*) (16) ............................ cuando ya no (*poder*) (17) ............................ coger ese avión. (*Poder*) (18) ............................ coger un taxi, me digo ahora, pero la resistencia a ponerme en manos de un conductor desconocido (*impedir, a mí*) (19) ............................ pensar en esa posibilidad. Ahora ya no (*haber*) (20) ............................ remedio.

(*Pensar*) (21) ...................... muchas veces en esta llamada de Ángela que al fin (*recibir*) (22) ......................, (*imaginar*) (23) ............................ cómo (*sentirse*) (24) ............................ yo en este largo viaje en tren, (*acudir*) (25) ............................ a despedirme de mi madre desde esta distancia en la que hace años vivo sin que (*ocurrirse, a ella*) (26) ............................ nunca hacerme ningún reproche. (*Aceptar*) (27) ............................ mi vida y la de mis hermanas, (*aceptar*) (28) ............................ que (*vivir*) (29) ............................, todas, fuera de la ciudad donde (*morirse*) (30) ............................ y donde todas nacimos, y todo lo que nos (*ir*) (31) ............................ diciendo desde allí, desde la casa de nuestra prima Ángela, (*edificarse*) (32) ............................ sobre el silencio, la acusación que nunca (*formular*) (33) ............................: la (*abandonar, nosotras*) (34) ............................ .

Yo, que (*acercarse*) (35) ............................ ahora tan lentamente a ella, que no (*saber*) (36) ............................ si aún la (*ver*) (37) ............................ viva, (*ser*) (38) ............................ su hija predilecta, la menor, la que (*venir*) (39) ............................ cuando nadie me (*esperar*) (40) ............................, seis años después de que (*nacer*) (41) ............................ Magdalena, la pequeña hasta entonces, la última de las cuatro hijas. Todos (*saber*) (42) ............................ enseguida que yo (*ser*) (43) ............................ la hija más querida de mi madre. Me (*mirar*) (44) ............................ como si yo (*ser*) (45) ............................ un milagro de su vida.

Puértolas, S.: *La hija predilecta* (adaptado)

**3** *¿Ser o estar?*

**Completa con *ser* o *estar* en el tiempo y modo adecuados.**

## Amores y desamores

Hay muchos que aseguran que las relaciones entre el general Perón y Eva no tenían ningún ingrediente sexual, sino que (1) ............................ un acuerdo de intereses. [...] Es posible que no le atrajera demasiado Evita, que (2) ............................ convirtiéndose progresivamente en un personaje cada vez más duro, más místico y asexuado. Pero sin duda el general la quería y la necesitaba, sobre todo al principio. [...] Perón, mucho más culto, más cínico, más flexible y más débil que ella, debió de quedarse fascinado con el ciego amor de Evita, con su total entrega. Ella (3) ............................ pura lealtad, una fuerza bruta enamorada.

Y (4) ............................ que la historia de Evita y Perón (5) ............................ la historia de una obsesión. [...] Y así los discursos de Eva (6) ............................ llenos de estrafalarios elogios a Perón. [...] Y no (7) ............................ solo los discursos públicos: en sus cartas privadas, reiterativas, carentes de forma y pespunteadas de faltas gramaticales.

Tanto amor, tanto fanatismo (ella proclamó múltiples veces que (8) ............................ fanática de Perón) debió de terminar siendo un poco opresivo para él.

Hay varias etapas en la representación de Evita de su propio mito. Primero, *starlette* jovencita, vestía muchos brillos, grandes joyas, aparatosos peinados. Eso (9) ............................ hasta alcanzar la presidencia.[...] Luego, tras el viaje a Europa de 1947, Evita se hizo más elegante, compró joyas, vistió carísimas ropas de Dior. Sin embargo (10) ............................ a partir de la creación de su Fundación de Beneficencia en 1948, cuando logró su encarnación final de Santa Evita: ahora vestía trajes rigurosos y serios, y peinaba austeros e impecables moños.

Montero, R.: *Amores y desamores que han cambiado la historia* (adaptado)

## 4 Preposiciones

**Completa con la preposición que falta.**

1. Este artículo trata .............. el problema de la deuda externa de los países en vías de desarrollo.
2. Si no hubiera sido porque un abogado de la ONG intercedió .............. él, ahora estaría entre rejas.
3. Me tengo que poner gafas porque, palabras textuales del oftalmólogo, «soy un poco corto .............. vista».
4. Por mucho que buscaron, no dieron .............. el botín.
5. Nadie se ríe de sus gracias pero, a pesar de todo, él se las da .............. gracioso.
6. Cuando fallecen ambos cónyuges y no hay más familia, los hijos quedan .............. la tutela de las instituciones pertinentes.
7. Deja la puerta abierta de par .............. par para que entre un poco de aire.
8. Después de la representación tuvimos el placer de ver a Carmen Maura .............. persona.
9. El artista encabezaba el desfile y .............. él un gran número de seguidores de su obra.
10. A la fiesta de los sanfermines viene gente .............. de Noruega.
11. Está entusiasmada .............. el nuevo destino que le ha propuesto la compañía para la que trabaja.
12. .............. dicen las malas lenguas, están al borde de la separación.
13. .............. decir verdad, para mí las mejores playas de Europa están en Grecia.
14. Es un tipo muy duro, nunca tira la toalla, es más: .............. las dificultades se crece.
15. Aún no nos hemos puesto manos a la obra, es un asunto que todavía está .............. resolver.
16. Se pasaban el día protestando .............. las condiciones en las que tenían que desempeñar sus papeles.
17. Después de la crisis, se hizo cargo de la empresa el hijo menor, que era un lince, y en pocos meses consiguió que saliera .............. flote.

## 5 Completa con la expresión más adecuada.

no va a poder ser ■ en efecto ■ tonterías ■ ya lo creo ■ no cuentes conmigo
lo dejo en tus manos ■ ya será menos ■ no tiene vuelta de hoja ■ no me cabe la menor duda

1. ■ ¿Conoces al nuevo cantante de *Los jinetes invencibles*?
   ❑ ............................ No me pierdo ni uno de sus conciertos, es magnífico.
2. ■ ............................ para ir a ese partido de fútbol, tengo que estudiar y apenas me queda tiempo.
   ❑ ¡Hombre! ............................ El examen es dentro de quince días. Tienes tiempo de sobra.
3. ■ ¡Antonio!, mañana tengo una reunión de trabajo y no puedo ocuparme de la matrícula de los niños, así que el asunto este ............................ .
   ❑ ¡Huy!, pues ............................, tengo una cita con un cliente tempranísimo.
4. ■ He leído que en la cumbre internacional se han firmado unos acuerdos sobre medio ambiente.
   ❑ ............................, así es. Parece que se están concienciando del problema que nos acecha.
5. ■ ¿No te parece que esta chica es la hermana de María?
   ❑ ¿Tú crees? Pues..., ahora que la veo bien... sí, sí, ............................, se parecen muchísim
6. O estudias, o suspendes. ............................ .
7. Hasta hace relativamente poco, si una joven quería ir a la universidad le decían: «.........
   lo que tienes que hacer es buscarte un *buen partido*».

Algo más

## Valores de *se*

- Reflexivo de 3.ª persona: cuando el sujeto hace y recibe la acción del verbo. Puede funcionar como CD o como CI.

  *Juan se lava (CD); Juan se lava la cara (CI, CD).*
- Recíproco de 3.ª persona del plural: los sujetos se influyen o intercambian acciones.

  *María y Pedro se escriben largas cartas.*
- Equivalente a *le*, *les*: funciona como pronombre de CI cuando *le/les* va seguido de un pronombre *lo/la/los/las*.

  *Se lo devolví ayer*.
- Impersonal: *se* + verbo en 3.ª persona singular.

  *Se habla mucho del tema*.
- Signo de pasiva refleja: *se* + verbo + sujeto paciente. El sujeto paciente es cosa y no persona.

  *No se aceptan propinas.*
- Enfático: el pronombre sirve para intensificar el significado del verbo. Generalmente con verbos de comida, bebida, dinero, actividades mentales o físicas.

  *Se comió una tortilla de patata él solo.*
- Con sentido incoativo: en ciertos verbos el empleo de esta forma da a la acción un valor incoativo. Es decir, indica acción que comienza.

  Algunos verbos con este sentido: *ir/irse, salir/salirse, llevar/llevarse, traer/traerse, venir/venirse, dormir/dormirse*, etc.

  *Se vino con nosotros a todas partes.*
- Con valor de morfema: *se* sirve para diferenciar significados: *quedar/quedarse, marchar/marcharse*, etc.
- Con dativo ético o de interés: es invariable y va acompañado por un CI para expresar el interés.

  *Se me ha muerto el perro.*
- Con verbos pronominales: algunos verbos necesitan la presencia de un pronombre. Estos pronombres no son reflexivos.

  Verbos de movimiento: *levantarse, moverse, sentarse, acostarse*, etc.

  Verbos que expresan acción mental: *alegrarse, confundirse, enfadarse, emocionarse*, etc.

  *Se sentó en esa silla tan antigua.*

  *Se alegraba mucho por ellos.*

## 6 *Se*

**Indica qué valor tiene *se* en las siguientes frases.**

1. Últimamente *se* me cae mucho el pelo.
2. En ese establecimiento no *se* hacen fotocopias.
3. Agarra al niño, que *se* va a caer.
4. Marta *se* ha enfadado porque a Isabel *se* le ha olvidado que hoy es su cumpleaños.
5. ¿Y ahora qué hago? *Se* me han perdido las llaves.
6. Pues yo creo que *se* nos ha pinchado una rueda.
7. En el País Vasco *se* come francamente bien.
8. Son hermanos, aunque *se* llevan muchos años.
9. *Se* tomó toda la tarta él solo y *se* empachó.
10. *Se* lleva mucho eso de ir escuchando música por la calle.
11. No *se* encuentra muy bien. Dice que *se* siente solo.
12. Cómo *se* nota que has estado en Galicia. Enseguida *se* te pega el acento.
13. *Se* cree que el efecto invernadero va a provocar un calentamiento de la Tierra.
14. Marta *se* cree muy lista. Piensa que lo sabe todo.
15. Ha salido a compra*rse* algo de ropa, pues tiene una boda en un mes.
16. Desde que estudia fuera *se* hace la comida y *se* lava la ropa él solo.
17. Descansó un rato después de la comida y luego *se* volvió a la oficina.
18. En algunos países *se* considera una norma de cortesía retrasarse un tiempo prudencial cuando *se* es invitado a una casa.
19. *Se* lo dijo a la cara y *se* quedó tan campante.
20. *Se* me ha dormido la pierna porque he estado mucho tiempo sentado sin cambiar de postura.

## 7 ¿Qué diferencias de sentido puede haber entre estos pares de frases?

1. *Acordó* mantenernos informados./*Se acordó* de mantenernos informados.
2. *Comió* un bocadillo de chorizo./*Se comió* un bocadillo de chorizo.
3. *Compró* una máquina de fotos digital./*Se compró* una máquina de fotos digital.
4. *Construyó* una casa de veraneo en el pueblo./*Se construyó* una casa de veraneo en el pueblo.
5. *Cree* que la situación mejorará./*Se cree* que la situación mejorará.
6. El niño *durmió* en nuestra cama./El niño *se durmió* en nuestra cama.
7. *Fue* a su casa./*Se fue* a su casa.
8. Últimamente *habla* mucho del tema de la sequía./Últimamente *se habla* mucho del tema de la sequía.
9. Mis hijos *escriben* muchas cartas./Mis hijos *se escriben* muchas cartas.
10. *Murió* a causa de una enfermedad incurable./*Se murió* a causa de una enfermedad incurable.

## Antes de nada

### Línea de atención

Si queremos que la carta se entregue a una persona determinada, tendremos que incluir la línea de atención.

A la atención de doña Mercedes Martín

A la atención de la jefa de estudios

### Saludo

- **Si la carta va dirigida a una persona, una compañía, empresa, etc.**
  - Saludo respetuoso *Distinguido/a señor/-a:*
  - Saludo formal *Señor/-a:*
  - Saludo amigable *Estimado/a señor/-a:*
- **Si la carta va dirigida a personas:**
  - Distinguidos señores:
  - Señores:
  - Estimados señores:

## Recursos

**Convencer, persuadir de algo**

*¿Usted no lo ve así?*
*¿No cree que...?/¿No le parece que...?*
*Si tenemos en cuenta que...*
*No es que quiera convencerle, pero...*
*... puedo dar miles de razones para...*
*Estoy totalmente seguro de que verá...*

**Expresiones útiles**

*Tener el gusto de, complacerse en...*
*Comprobar, advertir, observar...*
*Reunir, cumplir los requisitos...*
*Suplir, satisfacer las necesidades...*

**Despedirse esperando una respuesta**

*En espera de su contestación...*
*Confiando en una pronta respuesta...*
*A la espera de sus noticias...*

## Necesito una subvención

### Solicita una subvención

- Tienes un gran espíritu emprendedor y decides «construir una casa rural» cerca de tu pueblo, ya que tanto la ubicación como la zona son de gran interés turístico y ecológico. Uno de tus problemas es que no cuentas con el dinero suficiente, por lo cual tienes que dirigirte a la junta de tu comunidad autónoma para pedirles una ayuda/subvención. En el tono y estilo adecuados, escribe al concejal de urbanismo de la zona para:
  - Explicarle detalladamente en qué consiste el proyecto.
  - Hablarle de la mejoría que esto traerá a la zona.
  - Convencerle de que te den la ayuda.
  - Despedirte esperando una respuesta.

# Comprar a cualquier precio

«Gastamos más de lo que ganamos. Comprar es lo importante. Pagar puede esperar. Según los psicólogos, al comprar sin medida es nuestro cerebro el que busca placer, como cuando se busca comida o sexo. Comprar, en definitiva, genera endorfinas».

«Los nuevos estudios de psicología relacionan estrechamente la adicción a las compras con otros trastornos como la piromanía, la cleptomanía o la dependencia del trabajo».

Alandete, D.: *El País Semanal* (EPS)

## xpresa tu opinión

Después de leer el artículo, escribe un texto (150-200 palabras) en el que deberás expresar tu opinión sobre el tema. Ten en cuenta las siguientes premisas:

- El placer de consumir y los beneficios que nos reporta.
- El consumo como encubridor de frustraciones, como medio de ostentación, etc.
- La importancia de la propaganda en nuestros hábitos de consumo.
- El consumo compulsivo visto como algo patológico.
- Las ventajas y los inconvenientes de las tarjetas de crédito.

## Recursos

**Expresiones útiles**

*Así es, es verdad.*
*No cabe duda, es indudable, es obvio.*
*Evidentemente, naturalmente.*
*No puede ser, no se puede aceptar, de ninguna manera.*

**Adverbios:** *particularmente, personalmente, ideológicamente, socialmente, etc.*

# EXPRESIÓN E INTERACCIÓN ORALES

# La lengua nuestra de cada día

## Cada oveja con su pareja

**1** Relaciona las expresiones con su definición.

1. Ser un pez gordo.
2. Saber algo al dedillo.
3. Cría cuervos y te sacarán los ojos.
4. Nacer con estrella.
5. Ser uña y carne.

a. Tener mucha suerte en la vida.
b. Ser muy buenos amigos o íntimos.
c. Ser una persona muy influyente.
d. De memoria.
e. Los beneficios hechos a quien no se los merece son correspondidos con desagradecimiento.

## Un paso más

**2** Completa con una de las expresiones anteriores.

1. ■ ¿Te has enterado de que Álvaro ha conseguido ese puesto que tanto deseaba?
   ❑ Sí, algo he oído, y es que no me extraña. En esa compañía trabaja Raúl, uno de sus mejores amigos, quien, por lo visto tiene mucha influencia, se dice de él que es ............................ .
2. ■ Chica, no sé cómo lo hace, pero Teresa es una persona que siempre tiene la sonrisa en los labios, siempre está de buen humor, es optimista...
   ❑ ¡No me extraña! Teresa es una de esas personas a las que todo, todo le sale bien, vamos, que es muy afortunada, se puede decir de ella que ............................ .
3. ■ Me ha dicho Belén que ha aprobado la oposición, ¡qué alegría!
   ❑ Sí, es verdad. Por lo visto se sabía el temario muy, muy bien, vamos que ............................ .

## En otros lugares

**3** Piensa en una situación real en la que puedas o hubieras podido utilizar las siguientes expresiones. ¿Son iguales en tu lengua?

▶ Cría cuervos y te sacarán los ojos.

▶ Nacer con estrella.

▶ Saber algo al dedillo.

# Hablando se entiende la gente

## ¿Derecho a morir?

«La eutanasia voluntaria es sencillamente un derecho humano [...], un derecho de libertad [...] que se inscribe en el contexto de una sociedad secularizada y pluralista en la que se respetan las distintas opciones personales».
«La vida no es un valor absoluto; la vida debe ligarse con calidad de vida, y, cuando esta calidad se degrada más allá de ciertos límites, uno tiene derecho a *dimitir*».

Pániker, S.: *La eutanasia activa, El País*

**Eutanasia**

SÍ

NO

DEPENDE

«Cuando un enfermo pide que se acabe con su vida, hay que procurar descubrir y resolver los motivos de esa petición: quitarle el dolor, controlar los demás síntomas molestos, aliviar su sufrimiento psicológico, rodearle de cariño... Hay que desarrollar los cuidados paliativos. Afortunadamente hoy la medicina tiene más recursos que nunca para conseguirlo».
«Los enfermos terminales se consideran una carga. Una sociedad que despenaliza la eutanasia, les envía un mensaje: "Efectivamente, sois una carga y ahora podéis fácilmente dejar de serlo..."».

González Barón, M.: *Una respuesta equivocada, El País*

### Intervienen

- Un moderador.
- Activista a favor de la eutanasia activa y pasiva.
- Representante de una asociación provida.
- Profesional de la medicina que opina sobre la eutanasia (aspectos positivos y negativos).
- Religioso a favor del derecho a la vida.

### Debate

El debate se centrará en:

- El ser humano y su derecho a la vida.
- Una muerte digna.
- La prolongación artificial de la vida en enfermos terminales o vegetativos.
- La eutanasia camuflada.

### Prepara tu intervención

- Elige uno de los papeles anteriores y reflexiona sobre el fragmento de González Barón. Busca más información sobre: la eutanasia activa y pasiva; los enfermos terminales; cuidados paliativos, etc. ¿Qué dice la ley? ¿Qué dicen las diferentes asociaciones?
  *www.eutanasia.ws/www.muertedigna.org/www.bioetica.org/ www.condignidad.org*

### Recursos

**Ceder la palabra:** *tiene usted la palabra, adelante, es su turno, le toca a usted, ya puede intervenir,* etc.

**Interrumpir:** *¿podría decir algo?, perdone la interrupción, perdone que le corte,* etc.

# RESUMEN GRAMATICAL

## ORACIONES COMPARATIVAS Y MODALES

### EXPRESIÓN DE LA COMPARACIÓN

- **Con indicativo**
  La comparación se refiere al pasado o al presente. *Trabajo tanto como puedo.*
- **Con subjuntivo**
  La comparación se refiere a un momento futuro. *Trabajaré tanto como pueda.*
- **Igualdad**
  - igual de + adjetivo/adverbio + que: *Pedrito está ya igual de alto que su padre.*
  - tanto, -a, -os, -as + sustantivo + como/cuanto: *Tengo tanto trabajo como tú y no me quejo.*
  - tan + adjetivo/adverbio + como: *A ver si traes tan buenas notas como tu hermano.*
  - Verbo + tanto como: *Te ayudaré tanto como me sea posible.*
  - Verbo + tanto cuanto: *Tiene tanto cuanto necesita para vivir bien.*
- **Desigualdad**
  - diverso/distinto/diferente a/de (dos verbos): *Mi hermana es muy diferente a mí.*
- **Superioridad**
  - más... que/de (dos verbos): *Ahora mi mujer gana más que yo. Ahora gana más de lo que le ofrecían en su anterior trabajo.*
    - Cuando se establecen comparaciones numéricas utilizamos *de*: *Esa cadena tiene más de cincuenta establecimientos por todo el país.*
    - En frases negativas cambia el sentido:
      *No tiene más de veinte años = Parece muy joven. Como mucho tendrá veinte años.*
      *No tiene más que veinte años = Es muy joven todavía. Solamente tiene veinte años.*
    - Recuerda los irregulares *mejor, peor, mayor* y *menor.*
- **Inferioridad**
  - menos... que/de (dos verbos): *Prefiero ganar menos que tú y tener más tiempo libre. La situación es menos grave de lo que me esperaba.*
- **Gradación**
  - cuanto más/menos... (tanto) más/menos: *Cuanto más duermo, más sueño tengo.*

## EXPRESIÓN DEL MODO

- **Con indicativo**
  Expresan un modo concreto, conocido por el hablante.
  - (tal y) como: *Es mejor que lo hagas como te lo ha aconsejado tu madre.*
  - como que: *Hizo un gesto como que se ahogaba.*
  - según (y como): *Realicé la instalación según indicaban las instrucciones del folleto.*
- **Con subjuntivo**
  Si expresan un modo indeterminado, desconocido por el hablante.
  - como: *Hazlo como quieras, pero hazlo ya.*
  - como si: *Hace como (haría) si no nos conociera.*
  - igual que si: *Llora igual que (lloraría) si fuera un niño pequeño.*
  - lo mismo que si: *Reaccionó lo mismo que (reaccionaría) si le fuera la vida en ello.*
    En estas frases el modo se expresa estableciendo una comparación condicional y el verbo va en p. imperfecto o p. pluscuamperfecto de subjuntivo.
  - según (y como): *Deberás realizar la instalación según indiquen las instrucciones. Léete el folleto antes.*
  - sin que: *Salió sin que nadie se diera cuenta.*
- **Con formas no personales**
  - como para + infinitivo: *Cerró los ojos como para concentrarse mejor.*
  - sin + infinitivo: *Se marchó sin saludarnos siquiera.*
  - gerundio: *Insistiéndole mucho, conseguimos al final que aceptara la invitación.*
  - participio: *Editado su libro, lo exhibió con orgullo a sus colegas.*

Templo de
Erecteion.
Partenón.
Grecia

# Unidad 7

## COMPRENSIÓN LECTORA

- **Mario Vargas Llosa:** *¿Por qué Grecia?*
  - **Más de cerca:** actividades y estrategias de control de la comprensión.
  - **Enriquece tu léxico:** actividades y estrategias de ampliación del vocabulario.

## COMPRENSIÓN AUDITIVA

- **Conferencia:** *La historia de la cerveza*
  - Tareas y estrategias de control de la comprensión.

## COMPETENCIA GRAMATICAL

- **Contenidos específicos**
  - Estilo indirecto.
- **Contenidos generales**
  - Tiempos y modos verbales.
  - Contraste *ser/estar.*
  - Preposiciones.
  - Completa con los términos adecuados.
- **Algo más**
  - El género de los nombres.

## EXPRESIÓN E INTERACCIÓN ESCRITAS

- **Escribir una carta solicitando una beca**
  - Pedir información, explicar los motivos, mostrar interés, agradecer la atención.
- **Redactar un texto expositivo**
  - *La guerra es un enorme esfuerzo*

## EXPRESIÓN E INTERACCIÓN ORALES

- **La lengua nuestra de cada día**
  - Expresiones, refranes y frases hechas.
- **Hablando se entiende la gente**
  - **Exposición oral:** *Globalización y terrorismo*

## RESUMEN GRAMATICAL

- Estilo indirecto.

# COMPRENSIÓN LECTORA

## Mario Vargas Llosa

VIDA Y OBRA

Escritor, político y periodista peruano (1936). Nace en el seno de una familia de clase media. Entre los catorce y los dieciséis años estuvo interno en la Academia Militar Leoncio Prado, escenario de su novela *La ciudad y los perros*. A los dieciséis años inició su carrera literaria y periodística con el estreno del drama *La huida del Inca* (1952), de escaso éxito. Estudió Letras y Derecho.

Publicó su primera obra, *Los jefes* (1959), con veintitrés años y con la novela *La ciudad y los perros* (1963) se ganó ya un prestigio entre los escritores del «boom» literario iberoamericano como Gabriel García Márquez, el mexicano Carlos Fuentes o el argentino Julio Cortázar.

Entre los premios que ha obtenido está el Rómulo Gallegos (1967), el Premio Príncipe de Asturias (1986), el Premio Cervantes (1994), el Premio Planeta (1993) y el Premio Nobel de Literatura (2010).

Entre sus novelas más conocidas están: *La ciudad y los perros* (1963), *Conversación en la catedral* (1969), *Pantaleón y las visitadoras* (1973), *La guerra del fin del mundo* (1981), *La Fiesta del Chivo* (2000) y *El héroe discreto* (2013).

Ha escrito, además de novela, obras de teatro y ensayos políticos y literarios. Es miembro de la Academia Peruana de la Lengua desde 1997 y de la Real Academia Española desde 1994.

### ¿Por qué Grecia?

En aquella cena, hace ya varios años, me sentaron junto a una señora de edad que cubría sus ojos con unos grandes anteojos oscuros. Era amable, elegante, hablaba un francés exquisito y, pese a que hacía grandes esfuerzos por disimularlo, en todo lo
5 que decía y opinaba se traslucía una enorme cultura. [...]

El primer libro suyo que leí, *Pourquoi la Grèce*?, me deslumbró tanto como su persona. Aunque lo que cuenta en él ocurrió hace 25 siglos, es de una extraordinaria actualidad y su lectura debería ser obligatoria en estos días para aquellos europeos que,
10 espantados con lo que está ocurriendo en Grecia, creen que la salida de ese país de la moneda única, e incluso de la Unión Europea, es inevitable y hasta necesaria.

El libro cuenta cómo Jacqueline leyó en sus años escolares a Tucídides y la impresión que hizo en ella orientó su vocación a
15 los estudios de la Grecia clásica, a la que dedicaría su vida. El ensayo pasa revista, de manera clara, entretenida y profunda, a ese milagroso siglo v antes de nuestra era en el que la historia, la filosofía, la tragedia, la política, la retórica, la medicina, la escultura alcanzan su apogeo y sientan las bases de lo que con el
20 tiempo se llamaría *la cultura occidental*.

Romilly muestra que en Grecia nacieron los factores determinantes del progreso humano, como la democracia, la libertad, el derecho, la razón y el arte emancipados de la religión, las nociones de igualdad, de soberanía individual, de ciudadanía, y una
25 manera absolutamente nueva de relacionarse el hombre con el más allá y con los dioses, además de una idea de la belleza y de la fealdad, de la bondad y la maldad, de la felicidad y la desdicha, que, con las inevitables adaptaciones, siguen aún vigentes.

Maravilla que un pueblo tan pequeño y tan poco cohesionado
30 políticamente, un pueblo tan reticente a practicar el imperialismo y a someterse a la prepotencia de un tirano (como hicieron todos los otros) haya sido capaz de dejar en la historia de la humanidad una huella tan honda, tan presente todavía tantos siglos después, en tanto que casi todos los otros grandes imperios o
35 civilizaciones —los persas y los egipcios, por ejemplo— sean

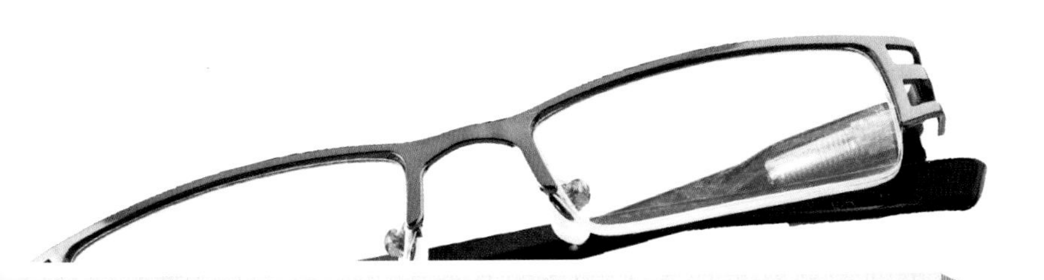

ahora sobre todo, sin olvidar ninguna de sus maravillas, piezas de museo.

No fue un accidente, ni obra del azar, hubo razones para ello y el libro de Jacqueline de Romilly las hace desfilar ante nuestros ojos con la misma desenvoltura, belleza y elegancia con que 40 su conversación me hechizó a mí aquella noche. Los diálogos socráticos y platónicos, además de una manera de filosofar, nos explica, enseñaron a los seres humanos que conversar, hablar en grupo, es una manera más civilizada y ética de convivir que dando órdenes u obedeciéndolas, una forma de la comunicación que 45 reconoce una igualdad de base, una reciprocidad de derechos, entre los interlocutores. Así fue surgiendo la libertad, desanimalizándose el hombre, naciendo de verdad la humanidad del ser humano.

«Sin saberlo, respiramos el aire de Grecia a cada instante», 50 dice en una de sus páginas. No es la menor de las paradojas que los griegos, que nunca conquistaron a pueblo alguno y solo combatieron en defensa de su libertad, hayan dominado luego discretamente al mundo entero, empezando por Roma, cuyas legiones creyeron apoderarse de Grecia sin esfuerzo, cuando, en 55 verdad, sería el pueblo vencido el que terminaría por infiltrarse en la mente, el espíritu y hasta la lengua del conquistador.

Grecia no puede dejar de formar parte de Europa sin que esta se vuelva una caricatura grotesca de sí misma, condenada al más estrepitoso fracaso. Europa nació allá, al pie de la Acrópo- 60 lis, hace 25 siglos, y todo lo mejor que hay en ella, lo que más aprecia y admira de sí misma, incluyendo la religión de Cristo —una de las páginas más hermosas del ensayo de Romilly explica por qué buena parte de los Evangelios se escribieron en lengua griega—, así como las instituciones democráticas, 65 la libertad y los derechos humanos tienen su lejana raíz en ese pequeño rincón del viejo continente, a orillas del Egeo, donde la luz del sol es más potente y el mar es más azul. Grecia es el símbolo de Europa y los símbolos no pueden desaparecer sin que lo que ellos encarnan se desmorone y deshaga en esa 70 confusión bárbara de irracionalidad y violencia de la que la civilización griega nos sacó.

Vargas Llosa, M.: *El País*

## Más de cerca

### 1 Señala si es verdadero (V) o falso (F) según lo que escribe el autor en el texto.

| | V | F |
|---|---|---|
| 1. Jacqueline se esforzaba por disimular su exquisito conocimiento del francés. | ☐ | ☐ |
| 2. A pesar de haberse escrito hace veinticinco años, el libro de Jaqueline es plenamente actual. | ☐ | ☐ |
| 3. En Grecia surgen las ideas que permiten el desarrollo de la civilización occidental. | ☐ | ☐ |
| 4. De la forma de filosofar de los griegos antiguos se desprende que conversar es más civilizado que obedecer. | ☐ | ☐ |
| 5. Lo mejor que tiene Europa se debe, en gran parte, a la luz y al mar de Grecia. | ☐ | ☐ |

### 2 Elige la opción correcta.

1. a. En su libro, Romilly revisa los conceptos de la cultura griega para adaptarlos a la sociedad contemporánea.
   b. Factores como democracia, libertad, razón, etc., unidos a la religión permiten el avance de la civilización.
   c. Los efectos del desarrollo de las ciencias y las letras que tienen lugar en el siglo V a. C. perviven en la actualidad.
2. a. Roma conquistó militarmente Grecia, pero fue conquistada intelectualmente por esta.
   b. Si Grecia se vuelve una caricatura de sí misma, podrá dejar de formar parte de Europa.
   c. Cuando desaparecen los símbolos, la civilización griega se convierte en algo irracional.

### 3 Foro de debate.

Reflexiona sobre las siguientes cuestiones:

- ¿Crees que la historia de un país determina su trayectoria futura?
- ¿Se puede saber a dónde vamos sin saber de dónde venimos?
- ¿Qué sabes de la historia de España? ¿En qué medida está la historia de tu país relacionada con la de España?

# COMPRENSIÓN LECTORA

## Enriquece tu léxico

**1** Relaciona las palabras del texto con sus sinónimos.

| | |
|---|---|
| 1. cubrir | a. introducirse |
| 2. anteojos | b. encaminar |
| 3. traslucirse | c. tapar |
| 4. averiguar | d. representar |
| 5. deslumbrar | e. unido |
| 6. orientar | f. marca |
| 7. apogeo | g. contrasentido |
| 8. nacer | h. gafas |
| 9. noción | i. pasar |
| 10. dios | j. evasivo |
| 11. adaptación | k. evidenciarse |
| 12. cohesionado | l. surgir |
| 13. reticente | m. indagar |
| 14. hondo | n. auge |
| 15. huella | ñ. impresionar |
| 16. desfilar | o. cohabitar |
| 17. convivir | p. profundo |
| 18. infiltrarse | q. idea |
| 19. paradoja | r. deidad |
| 20. encarnar | s. transformación |

**2** Encuentra el antónimo.

| | |
|---|---|
| 1. amable | a. débil |
| 2. extraordinario | b. antipático |
| 3. determinante | c. retraimiento |
| 4. vigente | d. corriente |
| 5. alcanzar | e. entregar |
| 6. desenvoltura | f. perder |
| 7. obedecer | g. caducado |
| 8. dominar | h. dudoso |
| 9. apoderarse | i. sublevar |
| 10. potente | j. emanciparse |

REAL ACADEMIA ESPAÑOLA

Diccionario de la lengua española

**3** ¿Qué sentido tienen estos términos en el texto de Vargas Llosa? Elige la opción correcta.

**Orientar**
1. tr. Dar a alguien información o consejo en relación con un determinado fin. U. t. c. prnl.
2. tr. Dirigir o encaminar a alguien o algo hacia un fin determinado. U. t. c. prnl.

**Sentar**
1. tr. Poner o colocar a alguien en una silla, banco, etc., de manera que quede apoyado y descansando sobre las nalgas. U. t. c. prnl.
2. tr. Dar por supuesto o por cierto algo.

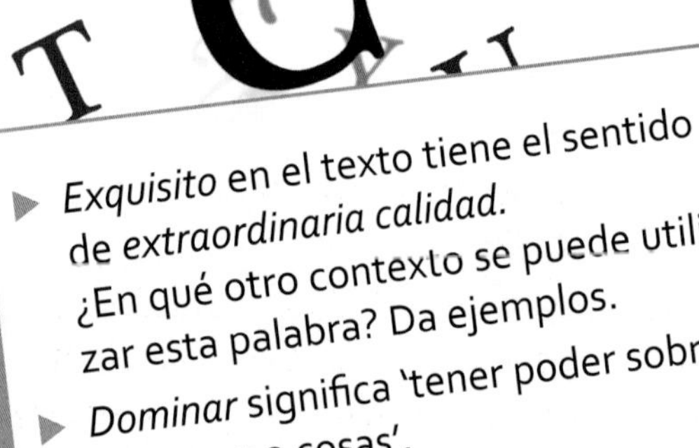

**¿Y tú?**

- *Exquisito* en el texto tiene el sentido de *extraordinaria calidad*. ¿En qué otro contexto se puede utilizar esta palabra? Da ejemplos.
- *Dominar* significa 'tener poder sobre personas o cosas'. ¿Conoces otros significados para este término? ¿Qué cosas o situaciones crees que puedes dominar? ¿Hay alguna cosa o situación que te domine?

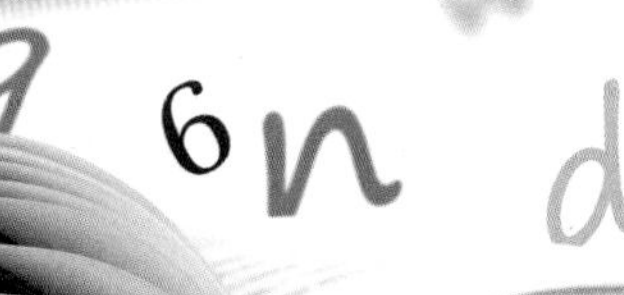

**4 Completa cada frase con uno de los siguientes términos. Haz las transformaciones necesarias.**

cubrir ■ traslucirse ■ averiguar ■ deslumbrante ■ orientarse ■ vocación ■ emanciparse
desdicha ■ adaptarse ■ vigente ■ antipático ■ huella ■ maravillas ■ desenvoltura
corriente ■ obediencia ■ interlocutor ■ paradoja ■ extraordinario ■ convivencia

1. No trabajaba de saltimbanqui por necesidad, sino por ............................ .
2. Al éxito más rotundo o al fracaso más ............................ se llega cuando, aún viendo que vamos hacia él, nos empeñamos en continuar.
3. A veces discutimos porque no llegamos a comprender a nuestro ............................ .
4. «Hay suficiente en el mundo para ............................ las necesidades de todos los hombres, pero no para satisfacer su codicia». (Mahatma Gandhi)
5. Pedro ha decidido ............................ . Le gustan las ventajas de vivir solo.
6. Un maestro es una persona que es práctica en una materia y la maneja con ............................ .
7. Cuando hablaba, ............................ el odio a través de sus palabras.
8. La suya no es una amistad ............................ . Es mucho más.
9. «El secreto de permanecer siempre ............................ es comenzar a cada momento». (Agatha Christie)
10. Es una persona educada y culta, pero su prepotencia resulta ............................ .
11. Tuvieron una relación larga, pero tan superficial que no dejó ............................ en ninguno de los dos.
12. Apareció en la sala y su belleza ............................ nos impresionó a todos.
13. Entablé una conversación con él para ............................ de qué pie cojeaba.
14. Una ............................ es una situación que desafía el sentido común y da como resultado una situación imposible.
15. Uno ............................ mejor en una ciudad si dispone de un mapa.
16. Tras el abandono por cuestiones de ............................, sintió el mundo temblar bajo sus pies.
17. «Aún en la ............................ siempre hay consuelo; pero la fortuna hace perder el juicio y el sentido de la medida». (Lope de Vega)
18. «La diferencia entre una democracia y una dictadura consiste en que en la democracia puedes votar antes de ............................ las órdenes». (Charles Bukowski)
19. «La inteligencia es la habilidad para tomar y mantener determinada dirección, ............................ a nuevas situaciones y tener la habilidad para criticar los propios actos». (Alfred Binet)
20. El mundo está lleno de ............................, riquezas, poderes y enigmas. El aburrimiento es el resultado de una carencia nuestra, no del mundo.

**5 Completa.**

| nombre | adjetivo | verbo |
|---|---|---|
| ▶ cobertura | ▶ ................................ | ▶ ................................ |
| ▶ ................................ | ▶ ................................ | ▶ averiguar |
| ▶ ................................ | ▶ adaptado | ▶ adaptar |
| ▶ cohesión | ▶ ................................ | ▶ ................................ |
| ▶ ................................ | ▶ ................................ | ▶ infiltrar |
| ▶ ................................ | ▶ encarnado | ▶ ................................ |

# La historia de la cerveza

Audio descargable en tuaulavirtual www.edelsa.es

Pista 7

**1** Vas a escuchar una breve conferencia sobre la historia de la cerveza. Después, redacta un texto expositivo (150 palabras) con los puntos principales y da tu opinión al respecto.

**2** Vuelve a escuchar el texto y completa estas anotaciones que se han tomado con cuatro de las diez opciones que te damos.

| | |
|---|---|
| a. aroma y color | f. olor y sabor |
| b. líquidos estimulantes | g. la producción en frío |
| c. la fabricación de hielo | h. una bebida relajante |
| d. la malta de cebada | i. su aspecto actual |
| e. las factorías artesanas | j. las primeras fábricas de cerveza |

1. Según algunos científicos, el hombre primitivo ya consumía .............................. a base de raíces, frutas silvestres, etc.
2. Además de otros, el comino es uno de los ingredientes usados por los egipcios para dar a la cerveza .............................. .
3. En Alemania aparecen .............................. y la primera ley sobre la pureza de la cerveza alemana.
4. La presencia de la máquina de vapor en las fábricas de cerveza, .............................. y los descubrimientos sobre la fermentación contribuyen a que la cerveza viva su mejor momento.

**3** ¿Lo has entendido bien? Elige la opción correcta.

**1. Según la grabación...**

a. las leyendas antiguas ya hablaban de la e boración de la cerveza.

b. se desconoce cuándo se empezó a elabor cerveza.

c. las leyendas dicen que Osiris ya bebía cervez

**2. Hay antropólogos que creen que...**

a. era necesario masticar cereales y otros pr ductos para relajarse.

b. el hombre primitivo de hace cien mil años sabía elaborar todo tipo de bebidas.

c. se utilizaba la saliva como fermento para pr ducir bebidas alcohólicas.

**3. Los egipcios...**

a. añaden ingredientes para dar a la cerveza u aspecto distinto.

b. elaboraron la cerveza igual que lo hacían l sumerios.

c. con la malta descubren el aroma y el sabor d la cerveza.

A BC

## 1 Estilo indirecto

**Lee el diálogo y resume la historia contándola en estilo indirecto.**

Escena: *café del Gallo (plaza Mayor), Ramón Peris toma un café. Cada vez que se abre la puerta, mira hacia allá hasta que entra una moza alta, morena, que se acerca a él, y le dice:*

Trini: ¡Hola!
Ramón: ¡Hola, Trini! ¡Siéntate! Por fin, has venido.
Trini: ¡Chico! No pude antes. (Sentándose) Llegó mi hermano del cuartel.
Ramón: ¡Tu hermano! ¿Y qué dice ese golfo[1]? Habrá ido a pediros dinero, como si lo viera.
El Mozo: ¿Café?
Trini: Sí, café. (a Ramón) ¿Y qué? Que nos ha pedido dinero. ¿Y qué? No parece sino que te lo pide a ti.
Ramón: Sería igual. Aunque tuviera, no le daría un cuarto[2].
Trini: ¡Roñoso!
Ramón: Y vosotros le habréis dado dinero. ¡Qué primaveras[3]!
Trini: ¡Y bien! ¿Te importa algo?
Ramón: ¿A mí?... Tu dinero es, y tú lo ganas con tu honrado trabajo.
Trini: Si fuera esa golfa de la Petrilla, te importaría más. Chico, tú enamorado... tiene gracia... Verdad es que ni ella, ni su marido, ni tú tenéis tanto así de vergüenza.
Ramón: ¡Gracias!
[...]
Ramón: ¿Por qué no te has casado, entonces?
Trini: ¿Por qué? ¿A ti qué te importa?
[...]
Ramón: Oye, Trini, ¿vamos a dar una vuelta? Hace una tarde pistonuda[4].
Trini: Hale. Vamos. (Se levantan de la mesa) ¿A dónde vamos?
Ramón: Donde quieras.
Trini: Tomaremos el tranvía.
Ramón Te advierto que no tengo una perra[5].

Baroja, P.: *Caídos* (adaptado)

1 *Golfo*: persona que vive de manera desordenada, poco formal y entregada a sus vicios.
2 *Cuartos*: dinero (suele usarse en plural).
3 *Ser un primavera*: persona fácil de engañar.
4 *Pistonudo*: fantástico, muy bueno.
5 *Perra*: dinero, moneda (suele usarse en plural).

## 2 Aquí tienes el final de la historia anterior. Está en estilo indirecto. ¿Puedes imaginar el diálogo que tuvieron Trini y Ramón?

Trini apremia a Ramón a subir al tranvía. Ramón sube de mala gana. [...] Saca del bolsillo de la chaqueta dos o tres papeles de fumar grasientos [...] y va sacando motas de tabaco de todos los bolsillos, hasta que reúne bastantes para liar un cigarro. [...] Trini le explica que no debería sentirse rebajado por pedirle a ella un real para una cajetilla, pero Ramón [...] miente diciendo que lo hacía para aprovechar. Trini no se lo cree y se lo hace saber, añadiendo que Ramón nunca ha aprovechado nada. Pide al conductor que pare el tranvía y le anuncia a Ramón que le va a comprar cigarrillos «susinis» y que van a ir los dos a los Viveros para merendar. Le manda que tire esa colilla y le explica que tiene tres duros que han de «pulir[1]» esa tarde. Ramón le pide que [...] guarde esos cuartos, pero Trini se niega y le recuerda que él, cuando tenía dinero, se lo gastó con ella.

1 *Pulir*: gastar el dinero sin preocupación.

## 3 Indicativo o subjuntivo
**Completa el texto con los tiempos y modos adecuados.**

El fontanero (*preguntar*) (1) ............................ si (*escribir*) (2) ............................ y antes de darme tiempo a responder (*sacar*) (3) ............................ un currículum de la caja de herramientas y (*pedir, a mí*) (4) ............................ que le (*echar*) (5) ............................ un vistazo. «Es para la IBM», dijo retirándose al cuarto de baño, que se me (*inundar*) (6) ............................ . (*Hojear, yo*) (7) ............................ los folios y en seguida (*ver*) (8) ............................ que (*hacer*) (9) ............................ agua por todas partes [...]. Mi autoestima, en fin, (*crecer*) (10) ............................ dos o tres centímetros mientras (*tachar*) (11) ............................ unas cosas y (*añadir*) (12) ............................ otras hasta que al leerlo con más atención me (*dar*) (13) ............................ cuenta de que aquello no (*tener*) (14) ............................ arreglo. Al rato, el fontanero (*asomar*) (15) ............................ la cabeza y me (*pedir*) (16) ............................ un pedazo de cuero para confeccionar con él una zapata, pues no las (*traer*) (17) ............................ de la medida adecuada.

Durante las dos horas siguientes (*ir, él*) (18) ............................ a su coche un par de veces y (*regresar*) (19) ............................ mascullando improperios contra mis grifos. «Le (*ir*) (20) ............................ a hacer una chapuza para ir tirando», (*decir*) (21) ............................, «pero lo más sensato (*ser*) (22) ............................ levantar el suelo y colocar unas tuberías de PVC». Le (*responder*) (23) ............................ que era precisamente lo que (*tener*) (24) ............................ que hacer yo con su sintaxis: levantarla entera y ponerla nueva para que las frases no (*perder*) (25) ............................ sentido por las junturas, que (*estar*) (26) ............................ podridas. El hombre (*asomarse*) (27) ............................ con desconfianza a la pantalla y (*replicar*) (28) ............................ que (*ir*) (29) ............................ a cambiar la llave de paso por una que (*comprar*) (30) ............................ para otro cliente. Entonces le (*mostrar*) (31) ............................ cuatro oraciones de relativo y dos condicionales que (*sacar*) (32) ............................ yo de mi propia caja de herramientas. [...]

Hacia el mediodía (*terminar*) (33) ............................ él su trabajo y yo el mío. Me (*pedir*) (34) ............................ quince mil pesetas [...], pero no (*preguntar*) (35) ............................ si me (*deber*) (36) ............................ algo por el currículum. Quizá (*pensar*) (37) ............................ que la escritura (*deber*) (38) ............................ ser un servicio público.

Millás, J. J.: (adaptado)

## 4 ¿*Ser* o *estar*?
**Completa con *ser* o *estar* en el tiempo y modo adecuados.**

1. ¿Has visto qué enrojecidos tiene los ojos? Yo creo que ............................ de tanto llorar.
2. Este pollo al ajillo ............................ para chuparse los dedos.
3. ............................ de esperar que el conflicto se solucione por vía pacífica.
4. Lo importante ahora ............................ ponerse manos a la obra.
5. ............................ de morros porque no lo invitaste a tu fiesta.
6. ............................ un inútil. Siempre ............................ metiendo la pata.
7. No se le nota el embarazo, pero ............................ ya de cinco meses.
8. No puedo evitar ............................ intranquila hasta que mis hijos regresan por la noche.
9. No quisiera ............................ indiscreta, pero... ¿por qué ya no ............................ juntos?
10. ............................ preferible que ............................ callados, siempre ............................ diciendo tonterías.

## 5 Preposiciones

**Completa con la preposición que falta.**

1. Es una persona muy conservadora, hostil .............. cualquier innovación en su empresa.
2. Es capaz de asociarse .............. el diablo, con tal de conseguir llegar a la cima.
3. Cuando llegamos a Chile, nos enfrentamos .............. una gran cantidad de problemas que en principio no sabíamos cómo resolver.
4. Ha dejado de quererle, pero se siente incapaz .............. decírselo directamente.
5. Esta situación nos lleva .............. el caos, tenemos que cambiar de táctica.
6. Todo intento de desobediencia sería castigado severamente. El dictador era partidario .............. actuar con mano dura.
7. El premio que ha conseguido es el resultado .............. años de estudio e investigación.
8. Padre e hijo terminaron .............. reconciliarse después de varios años de distanciamiento.
9. El preso se escapó .............. la cárcel, pero al poco dieron .............. él.
10. El país cayó .............. el dominio de Napoleón, pero consiguió liberarse de él pocos años más tarde.
11. Este libro que he comprado es .............. María, mañana es su cumpleaños.
12. Antes de firmar el contrato, te aconsejo que lo leas .............. mucho detenimiento para que no te puedan engañar.
13. ¿Pero no te has dado cuenta .............. que te estábamos esperando?
14. Nada más salir, comenzó .............. llover a cántaros, ¡y nosotros sin paraguas! Nos pusimos hechos una sopa.
15. En la aduana nos obligaron .............. declarar todo el dinero que llevábamos encima.

## 6 Completa el texto con estos términos.

cada ■ cuando ■ incluso ■ cercana a ■ como
más de ■ tanto ■ a través de ■ tan ■ toda ■ más que ■ como por

### Los grandes temas de la obra picassiana

La obsesión de Picasso por los toros comienza en su misma infancia, (1) ............................ se ganaba con dibujos los medios para poder asistir los domingos por la tarde a la corrida. Toda su vida permaneció fiel a este espectáculo (2) ............................ hispánico centrado en la lucha a muerte entre el hombre y el animal. (3) ............................ en su vejez asistía con regularidad a las corridas que se celebraban en Arlès para mantener el contacto directo con la tauromaquia.

El toro es algo (4) ............................ un animal, es la encarnación de un mito que desde Grecia hasta nuestros días es señal de potencia y virilidad. Tanto por su dramatismo (5) ............................ la insistencia con que trató el tema, este fue uno de los más vigorosos dentro de la simbología picassiana. La violencia de su embestida, la fuerza bruta, el animal herido, el estertor de la agonía, son elementos que Picasso siente como muy propios y muy próximos.

No tardará en aparecer la figura del minotauro, la más (6) ............................ su turbulenta personalidad, un monstruo semidivino, un ser mitad hombre y mitad toro. La expresión antropomórfica de la imagen del toro. El minotauro será poetizado (7) ............................ síntesis de la lucha entre el hombre y el toro, de ese ritual entre la vida y la muerte que se da en (8) ............................ lidia.

Donde Picasso vierte (9) ............................ su admiración por el desarrollo de la corrida es en las aguatintas de 1976 dedicadas al famoso torero Pepe Illo, incluidas en la serie conocida como la Tauromaquia. En ellas recoge, mediante una ágil técnica de siluetas y manchas, todos los movimientos de la corrida y nos presenta al picador, al banderillero y al torero en los momentos más decisivos de sus faenas (10) ............................ un trabajo artístico de gran maestría y sorprendente fidelidad documental.

En el fondo se sentía un torero. En (11) ............................ una ocasión comparó su quehacer con el trabajo del torero, (12) ............................ en su dimensión estética como en la dureza de su combate.

Giralt-Miracle, D.: *Historia 16*, n.° 65

Algo más

## El género de los nombres

- **Generalmente son masculinos**
  - Los nombres terminados en *-aje*, *-an* y *-or*: *el viaje, el plan, el calor* (excepto: *la flor, la labor*).
  - Algunos nombres terminados en *-a*: *el día, el clima, el pijama, el planeta, el mapa, el programa, el sistema, el tema, el idioma.*
  - Los nombres de colores: *el rosa, el amarillo, el azul, el verde.*
  - Los aumentativos en *-ón* de palabras femeninas: *la nube = el nubarrón, la sala = el salón.*
  - Las palabras compuestas con raíz verbal: *el abrelatas, el sacacorchos.*
- **Generalmente son femeninos**
  - Los nombres que terminan en *-dad*, *-tad*, *-tud*, *-umbre*, *-ión*: *la edad, la voluntad, la juventud, la muchedumbre, la canción, la profesión*, etc.
  - Los nombres que terminan en *-o* que corresponden a una persona de género femenino: *la modelo.*
  - Terminaciones especiales para formar el femenino:
    *-esa*: *el príncipe/la princesa.* *-ina*: *el rey/la reina.*
    *-isa*: *el poeta/la poetisa.* *-triz*: *el actor/la actriz.*
- **Son invariables**
  - Los nombres que terminan en *-ista*, *-ante*: *el/la periodista, el/la taxista, el/la cantante, el/la estudiante*, etc.
  - Muchos adjetivos sustantivados con el artículo permanecen invariables, así como unos pocos sustantivos: *el/la joven, el/la imbécil, el/la testigo.*

**Algo más**

- **Casos especiales**
  - Todas las palabras que comienzan por *-a* tónica, aunque sean femeninas, en singular van con los determinantes *el, un, algún, ningún*: *águila, arma, área, agua, aula, alma, hambre,* etc.
  - En muchos nombres de animales hay que especificar si son macho o hembra: *mosca, mosquito, rata.*
  - Se usan palabras diferentes para: *hombre/mujer, marido/mujer, padre/madre.*
  - Nombres que terminan en *-ente*: *el/la dependiente/a, el/la cliente/a.*
- **Cambio de significado según el género**
  - Palabras con la misma terminación cambian de significado según se usen como masculinas o femeninas: *el/la editorial, el/la vocal, el/la policía, el/la frente, el/la orden, el/la capital, el/la guía, el/la pendiente,* etc.
  - Palabras idénticas tienen significado diferente según terminen en *-o* o en *-a*: *suelo/a, bolso/a, ramo/a, cuchillo/a, cuadro/a, tallo/a, ruedo/a, manto/a, anillo/a, barco/a, puerto/a, río/a, madero/a, punto/a, jarro/a, huevo/a,* etc.

## 7 *¿Masculino o femenino?*

**Elige la opción adecuada.**

Ahora que veo *(el/la)* guía de Galicia me acuerdo de *(el/la)* día en que nos sacamos *(ese/esa)* foto Fernando y yo durante *(nuestro/nuestra)* viaje por las Rías Altas.

Estábamos en *(un/una)* *(barco/barca)* de remos y había *(mucho/mucha)* corriente en *(el/la)* agua. Al pasar por debajo de *(un/una)* puente vimos en *(el/la)* margen *(derecho/derecha)* de la ría a unos niños que corrían con toda *(el/la)* alma para intentar hacer volar *(unos/unas)* cometas de papel. De vez en cuando *(algún/alguna)* águila surcaba el cielo planeando con *(los/las)* alas como un avión siendo *(el/la)* *(único/única)* *(testigo/testiga)* de nuestros esfuerzos. *(El/La)* panorama era fenomenal y *(el/la)* clima de *(el/la)* región muy agradable en verano.

En cierto momento me hice *(un/una)* corte en *(el/la)* mano con *(un/una)* *(ramo/rama)*. Cortaba como *(un/una)* *(cuchillo/cuchilla)* de afeitar y Fernando tenía *(el/la)* dilema de decidir si interrumpíamos *(el/la)* excursión para que me hicieran *(un/una)* cura o continuábamos. Consultó *(el/la)* mapa y vio que todavía estábamos muy lejos del pueblo más cercano, así que dio *(el/la)* orden de seguir remando. Yo no podía porque *(el/la)* sangre manaba a borbotones de *(el/la)* *(herido/herida)*, pero tampoco quería montar *(un/una)* drama. Saqué *(el/la)* *(cuchillo/cuchilla)* de monte de *(el/la)* *(bolso/bolsa)* de deportes que había llevado conmigo. *(Este/esta)* tenía *(mucho/mucha)* *(punto/punta)* y corté un trozo de tela de mi propia camisa para hacerme *(un/una)* vendaje.

Por *(el/la)* radio escuchamos *(el/la)* parte meteorológico, que anunciaba una galerna. Efectivamente, apareció *(el/la)* *(primer/primera)* nubarrón y enseguida *(los/las)* nubes cubrieron el cielo y empezó a llover y, aunque teníamos *(un/una)* paraguas, no podíamos abrirlo y seguir remando, por lo que acabamos más mojados que *(un/una)* pez. Menos mal que antes de llegar a *(el/la)* *(puerto/puerta)* nos recogió *(un/una)* guardacostas en su *(barco/barca)*, porque no sé si lo hubiéramos conseguido solos.

Dicen que *(el/la)* juventud no conoce el miedo, pero yo *(ese/esa)* día me asusté de verdad, y eso que no soy *(ningún/ninguna)* gallina.

# EXPRESIÓN E INTERACCIÓN ESCRITAS

## Antes de nada

El cuerpo de la carta

Se compone de:

- **Introducción:** donde se expone el motivo de la carta (informar sobre algo, solicitar, protestar, etc.).
- **Exposición:** donde se desarrolla el asunto. La redacción tiene que ser clara y precisa además de estar bien estructurada.
- **Conclusión:** donde se destaca algún tema importante (expresar deseo, agradecer, pedir disculpas, etc.).

Quedo a su disposición para cualquier duda o aclaración.

En espera de su respuesta les saludamos cordialmente.

Agradecemos de antemano su atención.

## Una beca para estudiar en España

### Escribe una carta de solicitud

- Te has enterado en tu universidad de que el departamento de lenguas modernas de una universidad española concede becas a los estudiantes extranjeros de español. Escribe una carta a dicha universidad para informarte sobre la beca y sobre lo que tienes que hacer para solicitarla. No olvides utilizar el tono y estilo apropiados. En la carta tienes que:
  - Presentarte.
  - Explicar los motivos por los que te interesa solicitar la beca y qué tienes que hacer para ello.
  - Pedir información sobre las becas (tipo de cursos que se ofrecen, cuantía económica, fechas y duración, alojamiento, etc.).
  - Despedirte esperando una respuesta.

## Recursos

**Pedir información**
*Quisiera informarme...*
*Agradecería que me detallaran...*
*Me gustaría que me proporcionaran información sobre...*
*¿Podrían informarme sobre...?*

**Explicar los motivos**
*Me pongo en contacto con ustedes porque...*
*Les escribo para...*
*El motivo de esta carta es...*

**Mostrar interés**
*Estoy interesado en...*
*Tengo mucho interés en...*

**Agradecer la atención**
*Agradeciéndoles de antemano...*
*Muchas gracias por su atención.*
*Dándoles las gracias por anticipado...*

## La guerra es un enorme esfuerzo

> «El pacifista ve en la guerra un daño, un crimen o un vicio. Pero olvida que, antes de eso y por encima de eso, la guerra es un enorme esfuerzo que hacen los hombres para resolver ciertos conflictos. La guerra no es un instinto, sino un invento. La renuncia a la guerra no suprime estos conflictos».
>
> «No se espere entonces nada mientras el pacifismo, de ser gratuito y cómodo deseo, no pase a ser un difícil conjunto de nuevas técnicas».
>
> Ortega y Gasset, J.: *La rebelión de las masas*

### Expresa tu punto de vista

- Redacta un texto expositivo con tu punto de vista (150-200 palabras). Reflexiona sobre estas cuestiones:
  - ¿Crees que las guerras solucionan conflictos o los crean?
  - ¿Tienen los gobernantes suficiente autoridad moral para declarar guerras en nombre de todo un pueblo?
  - ¿Cómo deberían resolverse los conflictos entre países?
  - ¿Qué acciones y actitudes consideras necesarias para impulsar los proyectos de paz?

## Recursos

**Sustantivos negativos:** *peligro, problema, riesgo, temor, perversión, desventaja, cobardía, complicación, crisis, bloqueo, dificultad,* etc.

**Adjetivos negativos:** *grave, complicado, terrible, inseguro, frágil,* etc.

**Verbos:** *pretender, reclamar, aceptar, confiar, solucionar, estimar, admitir, constituir, legalizar, impulsar, obligar, formalizar, defender,* etc.

# EXPRESIÓN E INTERACCIÓN ORALES

# La lengua nuestra de cada día

## Cada oveja con su pareja

**1** Relaciona las expresiones con su definición.

1. Dar por zanjado un tema o discusión.
2. Hacer algo en un santiamén.
3. Vivir al día.
4. Hacérsele a uno la boca agua.
5. Salirse con la suya.

a. Rápidamente, en muy poco tiempo.
b. Gastar todo lo que se gana sin ahorrar.
c. Poner fin a desacuerdos o discordias.
d. Imponerse, imponer la propia voluntad.
e. Deleitarse con el recuerdo de una cosa agradable, o con la esperanza de conseguirla.

## Un paso más

**2** ¿Qué expresión te parece más adecuada para cada contexto?

1. Después de varios intentos fallidos de hablar con él a fin de arreglar la situación…
   a. he decidido dar por zanjado el asunto.
   b. he decidido vivir al día.
   c. he pensado hacerlo en un santiamén.

2. Me molesta enormemente la actitud de Clara, es muy cabezona, no para hasta…
   a. dar por zanjado el asunto.
   b. salirse con la suya.
   c. hacerlo en un santiamén.

3. Es que, cuando veo algo de chocolate no puedo resistirme, tengo que comprármelo porque...
   a. se me hace la boca agua.
   b. vivo al día.
   c. me salgo con la mía.

## En otros lugares

**3** ¿Existen estas expresiones en tu lengua u otras para decir lo mismo?

- Di qué cosas haces normalmente en un santiamén y por qué.
- ¿Cuáles son para ti los inconvenientes de vivir al día?
- ¿En qué situaciones se te hace la boca agua?
- ¿Hay expresiones equivalentes en tu lengua?

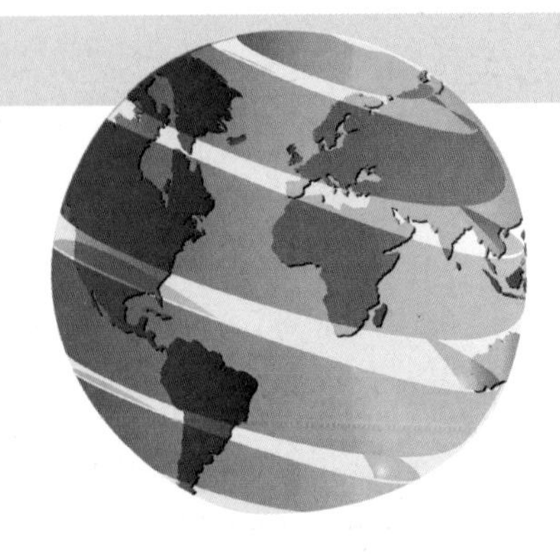

# Hablando se entiende la gente

## Globalización y terrorismo

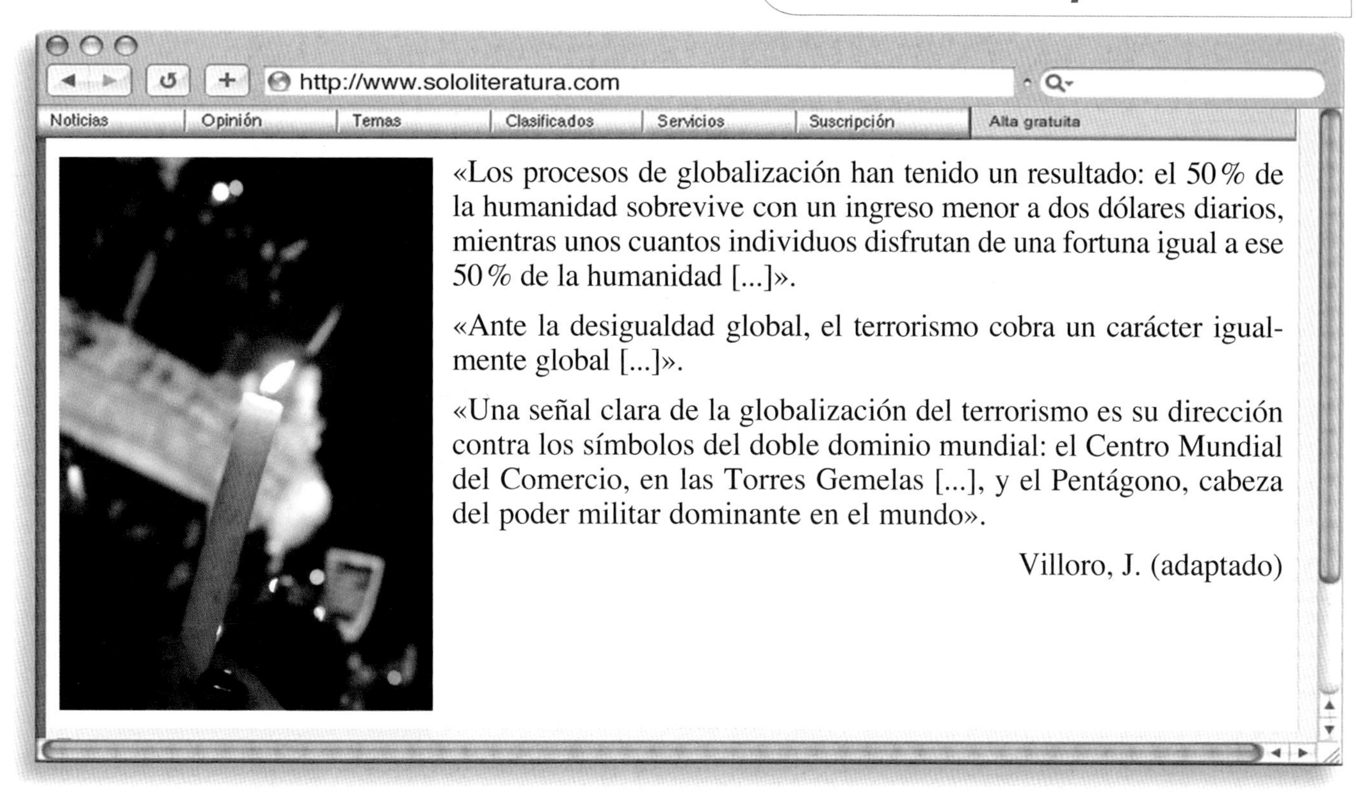


«Los procesos de globalización han tenido un resultado: el 50 % de la humanidad sobrevive con un ingreso menor a dos dólares diarios, mientras unos cuantos individuos disfrutan de una fortuna igual a ese 50 % de la humanidad [...]».

«Ante la desigualdad global, el terrorismo cobra un carácter igualmente global [...]».

«Una señal clara de la globalización del terrorismo es su dirección contra los símbolos del doble dominio mundial: el Centro Mundial del Comercio, en las Torres Gemelas [...], y el Pentágono, cabeza del poder militar dominante en el mundo».

Villoro, J. (adaptado)

### Prepara tu intervención

- Después de leer los comentarios de Villoro, en grupos: reflexionad sobre la globalización (causas y consecuencias) y enumerad argumentos a favor o en contra.

| A FAVOR | EN CONTRA |
| --- | --- |

- Cada uno elige una de estas cuestiones y hace una exposición de 10 minutos sobre el tema ante su grupo:
  - Relación globalización/terrorismo.
  - Grupos terroristas, ideología y objetivos que persiguen.
  - Relación terrorismo/pobreza: ¿por qué los países más pobres no tienen este tipo de terrorismo internacional?
  - ¿Por qué muchos de los atentados también van contra la población civil?

**Recursos**

**Introducir el tema:** *la verdad es que, me gustaría decir que, empecemos por...*
**Enumerar argumentos:** *por un lado/por otro, por una parte/por otra, en primer lugar/en segundo...*
**Añadir:** *además, cabe añadir...*
**Resumir y concluir:** *en pocas palabras, para terminar, así pues llegamos a la conclusión...*

### Exposición oral

En la exposición deberás:

- Presentar el tema aportando datos específicos.
- Justificar o argumentar con ejemplos.
- Concluir con alguna pregunta abierta hacia los demás componentes del grupo.

# RESUMEN GRAMATICAL

## ESTILO INDIRECTO

### ESTILO INDIRECTO

- En el estilo directo el hablante reproduce textualmente un mensaje.
- En el estilo indirecto el hablante reproduce el mensaje con algunos cambios.
- Los cambios del estilo directo al indirecto se dan en el tiempo verbal, en el nexo, en el tiempo referido por los adverbios, en las referencias espaciales y en las personales.
- **Cambios en el tiempo verbal**
  Verbo introductor
  - Presente, pretérito perfecto compuesto, futuro simple (*dice, ha dicho, dirá*): no hay cambios de tiempo ni modo.
  - Pretérito perfecto simple, pretérito imperfecto, pretérito pluscuamperfecto (*dijo, decía, había dicho*): se producen los siguientes cambios:

| ESTILO DIRECTO | ESTILO INDIRECTO |
|---|---|
| ▶ Presente<br>*Me parece fácil.* | ▶ Pretérito imperfecto<br>*... que le parecía fácil.* |
| ▶ Pretérito perfecto simple<br>*Llegué anoche.* | ▶ Pretérito perfecto simple/Pretérito pluscuamperfecto<br>*... que llegó/había llegado la noche anterior.* |
| ▶ Pretérito perfecto compuesto<br>*Nos hemos casado.* | ▶ Pretérito pluscuamperfecto<br>*... que se habían casado.* |
| ▶ Futuro simple<br>*Lo haré mañana.* | ▶ Condicional simple/*iba a* + infinitivo<br>*... que lo haría al día siguiente/... que lo iba a hacer al día siguiente.* |
| ▶ Futuro compuesto<br>*Lo habrán terminado.* | ▶ Condicional compuesto<br>*... que lo habrían terminado.* |
| ▶ Pretérito perfecto de subjuntivo<br>*Cuando haya comido, te llamaré.* | ▶ Pretérito pluscuamperfecto<br>*... que cuando hubiera comido lo llamaría.* |

*El condicional simple y compuesto, así como el pretérito imperfecto y el pretérito pluscuamperfecto de indicativo y subjuntivo no se modifican en el estilo indirecto.*

- **Cambios en el modo**

  Imperativo: *Recoge tu habitación.*
  - Presente de subjuntivo: (*dice, ha dicho, dirá*) ... *que recoja mi habitación.*
  - Pretérito imperfecto de subjuntivo: (*dijo, decía, había dicho*) ... *que recogiera mi habitación.*
- **Cambios en el nexo**
  - Con partícula interrogativa: se repite la partícula anteponiendo, si se desea, *que.*
    - *¿Cómo te llamas?* > *Pregunta (que) cómo te llamas.*
    - *¿Quién ha cambiado la mesa?* > *Pregunta (que) quién ha cambiado la mesa.*
    - *¿Qué opinas?* > *Pregunta (que) qué opinas.*
  - Sin partícula interrogativa: se introducen con *si.*
    - *¿Vives aquí?* > *Pregunta si vives aquí.*
- **Cambios en el tiempo referido por el adverbio**
  - *Hoy* > *Ese día, aquel día*

    *Hoy tengo prisa.* > *Aurora me dijo que ese día tenía prisa.*
  - *Mañana* > *Al día siguiente*

    *Mañana te llamaré.* > *Celia me dijo que me llamaría al día siguiente.*
  - *Ayer* > *El día anterior*

    *Ayer te vi en la calle.* > *Luisa me dijo que me había visto en la calle el día anterior.*
- **Cambios en la referencia espacial**

  Hay que tener siempre presente la situación espacial de los que hablan.
  - *Aquí* > *Allí*

    *Ven aquí.* > *Me dijo que fuese allí.*
  - *Este* > *Aquel, ese*

    *Quiero este.* > *Me dijo que quería ese.*
- **Cambios en la persona**

  Hay que tener en cuenta quién habla y a quién se refiere el discurso. Suele haber cambios en los pronombres personales y en los posesivos (adjetivos o pronombres).
  - *Este libro no es mío.* > *Me dijo que aquel libro no era suyo.*

- **Verbos útiles.** Los siguientes verbos pueden sustituir a *decir*:
  - Verbos de lengua: *aclarar, admitir, afirmar, agradecer, alegar, asegurar, balbucir, citar, contar, decir, declarar, explicar, expresar, gritar, hablar, indicar, informar, insistir, llamar, narrar, negar, nombrar, observar, pedir, precisar, preguntar, proferir, pronunciar, razonar, repetir, responder, señalar,* etc.
  - Verbos de actitud: *aclamar, acceder, acordar, alegrarse, asentir, burlarse, conformarse, creer, decidir, desesperarse, despedir, dudar, excitarse, insultar, enfadarse, molestarse, mostrarse* + adjetivo, *negarse, reprochar, saludar, sentirse* + adjetivo, *sorprenderse, tranquilizar(se), turbarse,* etc.

Para consolidar y ampliar tus conocimientos te recomendamos...

# Unidad 8

## COMPRENSIÓN LECTORA

- **Quim Monzó:** *La monarquía*
  - **Más de cerca:** actividades y estrategias de control de la comprensión.
  - **Enriquece tu léxico:** actividades y estrategias de ampliación del vocabulario.

## COMPRENSIÓN AUDITIVA

- **Entrevista:** *Ser infiel es un impulso evolutivo*
  - Tareas y estrategias de control de la comprensión.

## COMPETENCIA GRAMATICAL

- **Contenidos específicos**
  - Formas no personales del verbo.
- **Contenidos generales**
  - Tiempos y modos verbales.
  - Contraste *ser/estar*.
  - Preposiciones.
  - Completa con los términos adecuados.
- **Algo más**
  - Uso del diminutivo.

## EXPRESIÓN E INTERACCIÓN ESCRITAS

- **Escribir una carta de presentación**
  - Referirse a un anuncio, expresar interés, hablar de experiencia y formación, solicitar una entrevista.
- **Redactar un artículo especializado**
  - *El encanto de la música*

## EXPRESIÓN E INTERACCIÓN ORALES

- **La lengua nuestra de cada día**
  - Expresiones, refranes y frases hechas.
- **Hablando se entiende la gente**
  - **Exposición oral:** *Algo más que monos, mucho menos que humanos*

## RESUMEN GRAMATICAL

- Formas no personales del verbo.

# Quim Monzó

VIDA Y OBRA

Barcelona, 1952. Narrador y periodista en lengua catalana. Fue corresponsal de guerra en Vietnam y Camboya. En 1982 fue a Nueva York donde estudió a los narradores estadounidenses modernos.

En 1976 empezó a escribir *El aullido del gris al borde de las alcantarillas*, que obtuvo el Premio Prudenci Bertrana y en la que observa el interés por temas actuales que interesen a la juventud. Su literatura se adscribe a la llamada tendencia de *relatos urbanos* de finales del siglo XX. Se interesa por una prosa breve con un relato bien trabado, con sentido del humor y sátira que son sus principales armas.

En 1978 publicó su primer cuento *Uf, dijo él*, y en 1983 su primera novela larga, *Gasolina*. En 1984 sale a la luz una recopilación de artículos periodísticos bajo el título *El día del Señor*. Su máxima popularidad coincide con la publicación de *El porqué de las cosas* en 1993 con la que ganó dos premios: el de la Crítica de Serra d'Or y Ciutat de Barcelona. Ha sido traducido a más de veinte lenguas.

Entre sus obras están: *Guadalajara* (1997), *El mejor de los mundos* (2002), *Tres Navidades* (2003), *Mil cretinos* (2008).

Actualmente colabora con el periódico *La Vanguardia*.

## La monarquía

Todo gracias a aquel zapato que perdió cuando tuvo que irse del baile a toda prisa porque a las doce se acababa el hechizo, el vestido retornaba a la condición de harapos, la carroza dejaba de ser carroza y volvía a ser calabaza. Siempre se ha maravillado que solo a ella el zapato le calzase a la perfección, porque su pie (un 36) no es en absoluto inusual. Todavía recuerda la expresión de asombro de sus dos hermanastras cuando vieron que era ella la que se casaba con el príncipe y (unos años después, cuando murieron los reyes) se convertía en la nueva reina.

El rey ha sido un marido atento y fogoso. Ha sido una vida de ensueño hasta el día que ha descubierto una mancha de carmín en la camisa real. El suelo se le ha hundido bajo los pies. ¡Qué desazón! ¿Cómo ha de reaccionar ella, que siempre ha actuado honestamente, sin malicia, que es la virtud en persona?

De que el rey tiene una amante no hay duda. Las manchas de carmín en las camisas siempre han sido prueba clara de adulterio. ¿Quién puede ser la amante de su marido? ¿Debe decirle que lo ha descubierto o bien disimular, como sabe que es tradición entre las reinas, en casos así, para no poner en peligro la institución monárquica? ¿Y por qué el rey se ha buscado una amante?

Decide callar. También calla el día que el rey no llega a la alcoba real hasta las ocho de la mañana con ojeras de un palmo y oliendo a mujer. (¿Dónde se encuentran? Hay tantas habitaciones en este palacio que fácilmente podría permitirse tener a la amante en cualquiera de las dependencias que ella desconoce).

En la habitación real, llora cada noche en silencio; porque ahora el rey ya no se acuesta nunca con ella. La soledad la reseca. Habría preferido no ir nunca a aquel baile, o que el zapato hubiese calzado en el pie de cualquier otra muchacha. Así, cumplida la misión, el enviado del príncipe no hubiera llegado nunca a su casa. Y en caso de que hubiera llegado, habría preferido incluso que alguna de sus hermanastras calzara el 36 en vez del 40 y 41, números demasiado grandes para una muchacha.

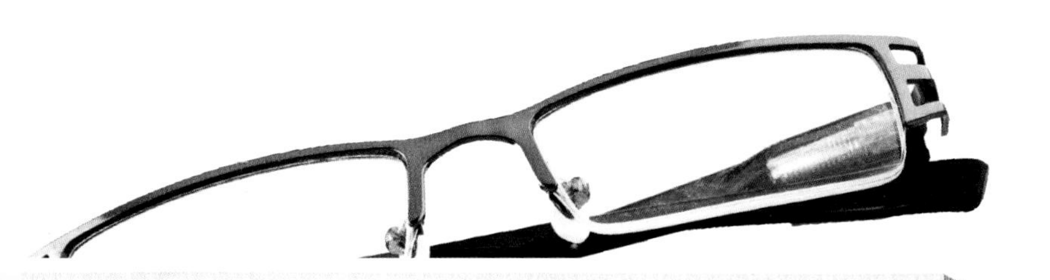

¿De qué le sirve ser reina si no tiene el amor del rey? Mil veces preferiría protagonizar las noches de amor adúltero del monarca que yacer en el vacío del lecho conyugal. Antes querida que reina.

Decide avenirse a la tradición y no decirle al rey lo que ha 40 descubierto. Actuará de forma sibilina. La noche siguiente, cuando tras la cena el rey se despide educadamente, ella lo sigue. Lo sigue por los pasillos que desconoce, por ignoradas alas del palacio, hacia estancias cuya existencia ni siquiera imaginaba. El rey la precede con una antorcha. Finalmente se 45 encierra en una habitación y ella se queda en el pasillo, a oscuras. Pronto oye voces. La de su marido, sin duda. Y la risa gallinácea de una mujer. Pero superpuesta a esa risa oye también la de otra mujer. ¿Está con dos? Poco a poco, procurando no hacer ruido, entreabre la puerta. Se echa en el suelo para 50 que no la vean desde la cama; mete medio cuerpo en la habitación. La luz de los candelabros proyecta en las paredes las sombras de tres cuerpos que se acoplan. Le gustaría levantarse para ver quién está en la cama, porque las risas y susurros no le permiten identificar a las mujeres. Desde donde está echada 55 en el suelo, no puede ver casi nada más; solo, a los pies de la cama, tirados de cualquier manera, los zapatos de su marido y dos pares de zapatos de mujer, de tacón altísimo, unos negros del 40 y otros rojos del 41.

Monzó, Q.: *El porqué de las cosas* (adaptado)

## Más de cerca

### 1 Señala si es verdadero (V) o falso (F) según lo que escribe el autor en el texto.

| | V | F |
|---|---|---|
| 1. A la protagonista el calzar un treinta y seis no le causa asombro. | ☐ | ☐ |
| 2. El adulterio siempre sale a la luz por los restos de carmín en las camisas de los caballeros. | ☐ | ☐ |
| 3. Una reina, ante una infidelidad conyugal, debe disimular delante de su marido, según la tradición. | ☐ | ☐ |

### 2 Elige la opción correcta.

1. **La protagonista piensa que...**
   a. lo mejor habría sido ir al baile descalza.
   b. hubiera sido mejor no haber asistido al baile.
   c. el príncipe no se habría fijado en ella si sus pies fueran grandes.

2. **La reina...**
   a. preferiría ser la amante del rey antes que sentirse engañada.
   b. prefiere ser amante y esposa al mismo tiempo.
   c. antes de encontrar su cama vacía prefiere renunciar a su título.

3. **Cuando sigue al rey, descubre que en la habitación...**
   a. hay voces de varias personas y el rey se ríe como una gallina.
   b. dos mujeres yacen con su marido.
   c. bajo la cama hay varios pares de zapatos de hombre y de mujer.

### 3 Debate.

1. **Participas en un debate sobre la infidelidad y el divorcio. Comenta las siguientes cuestiones.**
   - La fidelidad es un invento del ser humano.
   - Amor y fidelidad siempre van unidos.
   - La infidelidad en los hombres es más frecuente que en las mujeres.
   - Relación entre infidelidad y divorcio. Causas y consecuencias de los mismos.

2. **Resume brevemente, por escrito, los aspectos más relevantes de lo que se ha debatido.**

# COMPRESIÓN LECTORA

## Enriquece tu léxico

**1** Relaciona las palabras del texto con sus sinónimos.

| | |
|---|---|
| 1. hechizo | a. sorprenderse |
| 2. retornar | b. reino |
| 3. harapiento | c. decencia |
| 4. maravillarse | d. cónyuge |
| 5. inusual | e. encantamiento |
| 6. atento | f. fingir |
| 7. fogoso | g. cometido |
| 8. ensueño | h. insólito |
| 9. tirar | i. misterioso |
| 10. honestidad | j. regresar |
| 11. marido | k. sobreponer |
| 12. adulterio | l. ardoroso |
| 13. disimular | m. musitar |
| 14. monarquía | n. amable |
| 15. alcoba | ñ. fantasía |
| 16. misión | o. andrajoso |
| 17. avenirse | p. infidelidad |
| 18. sibilino | q. dormitorio |
| 19. superponer | r. amoldarse |
| 20. susurrar | s. arrojar |

- ¿Cómo sería para ti una vida de ensueño?
- ¿Qué haría que el suelo se te hundiera bajo los pies?
- ¿Cómo crees que actúa una persona cuando lo hace de forma sibilina?

¿Y tú?

**2** Encuentra el antónimo.

| | |
|---|---|
| 1. retornar | a. sosiego |
| 2. inusual | b. fidelidad |
| 3. fogoso | c. florecer |
| 4. desazón | d. decepcionar |
| 5. malicia | e. ausentarse |
| 6. adulterio | f. retener |
| 7. resecar | g. bondad |
| 8. enviar | h. frecuente |
| 9. avenirse | i. disentir |
| 10. maravillarse | j. apático |

REAL ACADEMIA ESPAÑOLA

Diccionario de la lengua española

**3** ¿Qué sentido tienen estos términos en el texto de Monzó? Elige la opción correcta.

**Amante**
1. m. y f. Cónyuge que ama sobremanera a su esposo o esposa.
2. com. Querido.

**Hermanastro, tra**
1. m. y f. Hijo de uno de los dos consortes con respecto al hijo del otro.
2. m. y f. Persona que tiene en común con otra solo uno de los padres. Medio hermano.

**4** **Completa cada frase con uno de los siguientes términos. Haz las transformaciones necesarias.**

desazonar ■ adulterio ■ misión ■ harapiento ■ honesto ■ avenirse ■ disimular
alcoba ■ sibilino ■ retornar ■ superponer ■ susurrar ■ maravillarse ■ inusual
hechizo ■ resecar ■ atento ■ malicia ■ ensueño ■ monarquía

1. Desde que emigró a Australia, sentía una nostalgia que lo ............................ y no lo dejaba disfrutar de esa nueva experiencia.
2. Era una casa preciosa, nuestra ............................ estaba decorada con un gusto exquisito.
3. La subida al Machu Picchu ha sido un ............................, nunca imaginamos que a 2 490 metros de altura habría tanta vegetación.
4. Una vez cumplida su ............................, decidió retirarse a una isla y vivir de las rentas.
5. Cada vez que tenía que hacer un examen oral se me ............................ tanto la boca a causa de los nervios que casi no podía hablar.
6. Cuando el niño lloraba desconsolado, para calmarle, su madre le ............................ una nana al oído e inmediatamente se quedaba dormidito.
7. A aquel mendigo ............................ que venía a casa de mi abuelo a pedir limosna lo encontramos mi tía Lola y yo un día por la ciudad con un traje azul impecable; nos quedamos con la boca abierta.
8. En España, después de la dictura de Franco, se instauró la ............................ parlamentaria.
9. En algunos países la mujer ............................ es severamente castigada.
10. Aunque cuando se casaron todos pronosticaron que aquello duraría mucho, en realidad era una pareja que no ............................ bien.
11. Fue un hombre ............................ hasta que se dedicó a la política y empezó a dejarse sobornar.
12. Isabel, cuando era pequeña y había niños delante, se comía los caramelos y ............................ para no tener que compartirlos con ellos.
13. No es ............................ que un profesor de Filosofía tenga que encargarse de enseñar varias asignaturas.
14. En el mundo hay de todo, pero creo que la mayoría de las personas actúa sin ............................ .
15. Cuando vieron las cataratas de Iguazú, ............................ ante ese impresionante espectáculo de la naturaleza.
16. Es una persona muy ............................, da gusto tratar con él.
17. Poco a poco fuimos construyendo un muro alrededor de la casa ............................ piedras.
18. Dice un cuento infantil que cuando la princesa le dio un beso a la rana, se rompió el ............................ y esta ............................ a lo que era: un hermoso y atractivo joven.
19. Siempre que hablaba con ella, no sé cómo se las arreglaba, pero me hacía una ............................ crítica.

**5** **Escribe un breve relato donde estén incluidas las siguientes palabras.**

ensueño ■ adulterio ■ disimular
bondad ■ harapiento ■ honestidad

# Ser infiel es un impulso evolutivo

Audio descargable en tuaulavirtual www.edelsa.es

Pista 8

**1** Vas a escuchar una entrevista sobre la infidelidad conyugal. Después, redacta una argumentación (150 palabras) con los puntos principales y expresa, de forma justificada, tu opinión al respecto.

**2** Vuelve a escuchar el texto y elige las tres opciones que mejor lo resumen entre las seis que te damos. Indica en qué orden las dicen.

a. La atracción sexual, el amor romántico y el cariño perdurable es lo que mantiene unidas a las parejas. ☐

b. Para Fisher, en todas las culturas existe infidelidad, ya que se transmite genéticamente de padres a hijos. ☐

c. Lo que diferencia al hombre de los animales es la libertad de decisión. ☐

d. Ser o no infiel es una decisión personal, aunque hay personas más propensas que otras a ello. ☐

e. La pareja estable surge porque la atracción sexual sirve para unir al hombre y a la mujer. ☐

f. La infidelidad conyugal es, para Fisher, una cuestión que tiene que ver con la evolución y la perpetuación de la especie. ☐

**3** ¿Lo has entendido bien? Elige la opción correcta.

**La entrevistada dice que...**

**1**

a. el adulterio, según Darwin, sirve par que nuestros genes no se pierdan.

b. un hombre adúltero tiene el doble d posibilidades de engañar a su mujer.

c. una mujer adúltera puede tener hijc con genes similares.

**2**

a. los circuitos del cerebro no puede actuar al mismo tiempo.

b. el circuito del amor romántico sirve par reproducirse indefinidamente.

c. los tres circuitos del cerebro puede actuar en distintas direcciones a la vez.

**3**

a. la especie humana se vuelve más atrac tiva a causa de adulterio.

b. las personas pueden decidir librement si se mantienen fieles o no a su pareja.

c. algunas personalidades son más libre que otras al cometer adulterio.

## 1 Formas no personales

**Sustituye las *formas no personales* por una oración y di qué valor tienen (temporal, modal, etc.).**

1. *Acabada* la manifestación, los participantes se dispersaron pacíficamente.
2. No se te ocurra beber agua de aquí *sin haberla hervido* previamente.
3. *De haber sabido* que su marido la engañaba, no sé cómo hubiera reaccionado.
4. *Teniendo* tantos pretendientes, es lógico que se dé aires de reina.
5. *Pese a no dar la talla*, sigue intentando ingresar en el ejército.
6. Debemos realizar algunos cambios en el negocio *en orden a conseguir* mayor rentabilidad.
7. Es difícil contentar a todos *aun esforzándose por agradar* al mayor número de personas.
8. ¿A qué salario puedo aspirar *tras finalizar* un máster?
9. Solo *actuando* rectamente, podremos afrontar los problemas.
10. La madre de Luis hizo de madrina en su boda, *llorando* como una magdalena durante toda la ceremonia.
11. No te rindas, *ni aun vencido*. Ya te llegará la ocasión de demostrar lo que vales.
12. Cuando se propone algo, no descansa *hasta conseguirlo*.
13. *Bien mirado*, los sistemas relativistas no son menos perjudiciales que el materialismo.
14. No comprendo cómo se ha llevado el premio ella, *habiendo* candidatos con mejores aptitudes.
15. *Habiendo realizado* sus estudios de posgrado en una prestigiosa universidad, consiguió la plaza de profesor adjunto.
16. Mi abuelo contrajo matrimonio *poco antes de partir* hacia el frente como voluntario, *no sabiendo* que su mujer estaba embarazada.
17. Se alistó en el ejército *pensando* que sería lo mejor.
18. ¿Serías capaz de cambiar una rueda del coche tú solo, *llegada* la ocasión?
19. *Pasada* la primera impresión, pudimos comprobar que la magnitud de los daños no fue tan grande.
20. Decidió irse a vivir a una ciudad más pequeña *pensando* que sería lo mejor.

## 2 Indicativo o subjuntivo

**Completa el texto con los tiempos y modos adecuados.**

### La intrusa

En Turdera los llamaban los Nilsen. El párroco me (*decir*) (1) ............................ que su predecesor (*recordar*) (2) ............................, no sin sorpresa, haber visto en la casa de esa gente una gastada Biblia de tapas negras, con caracteres góticos; en las últimas páginas (*entreverse*) (3) ............................ nombres y fechas manuscritos. (*Ser*) (4) ............................ el único libro que (*haber*) (5) ............................ en la casa. La azarosa crónica de los Nilsen, perdida como todo (*perderse*) (6) ............................ . El caserón, que ya no (*existir*) (7) ............................, era de ladrillo sin revocar; desde el zaguán (*divisarse*) (8) ............................ un patio de baldosa colorada y otro de tierra. Pocos, por lo demás, entraron ahí; los Nilsen (*defender*) (9) ............................ su soledad. En las habitaciones desmanteladas (*dormir*) (10) ............................ en catres; sus lujos (*ser*) (11) ............................ el caballo, el apero, la daga de hoja corta, el atuendo rumboso de los sábados y el alcohol pendenciero. Sé que (*ser*) (12) ............................ altos, de melena rojiza. Dinamarca o Irlanda, de las que nunca (*oír*) (13) ............................ hablar, andaban por la sangre de esos criollos. El barrio los (*temer*) (14) ............................ a los Colorados; no es imposible que (*deber*) (15) ............................ alguna muerte.

Los Nilsen (*ser*) (16) ............................ calaveras, pero sus episodios amorosos (*ser*) (17) ............................ hasta entonces de zaguán o mala casa. No faltaron, pues, comentarios cuando Cristián (*llevar*) (18) ............................ a vivir con él a Juliana Burgos. Es verdad que (*ganar*) (19) ............................ así una sirvienta, pero no es menos cierto que la (*colmar*) (20) ............................ de horrendas baratijas y que la (*lucir*) (21) ............................ en las fiestas.

Eduardo los (*acompañar*) (22) ............................ al principio. Después (*emprender*) (23) ............................ un viaje a Arrecifes por no sé qué negocio; a su vuelta (*llevar*) (24) ............................ a la casa a una muchacha, que (*levantar*) (25) ............................ por el camino, a los pocos días la (*echar*) (26) ............................ y (*hacerse*) (27) ............................ más hosco; (*emborracharse*) (28) ............................ solo en el almacén y no (*relacionarse*) (29) ............................ con nadie. (*Estar*) (30) ............................ enamorado de la mujer de Cristián. El barrio, que tal vez lo (*saber*) (31) ............................ antes que él, (*prever*) (32) ............................ con alevosa alegría la rivalidad latente de los hermanos.

Una noche, al volver tarde de la esquina, Eduardo (*ver*) (33) ............................ el caballo de Cristián atado al palenque. En el patio, el mayor estaba esperándolo con sus mejores ropas. La mujer (*ir*) (34) ............................ y (*venir*) (35) ............................ con el mate en la mano, Cristián le dijo a Eduardo:

–Yo me voy a una fiesta en casa de Farías. Ahí la tienes a la Juliana; si la quieres, úsala.

El tono (*ser*) (36) ............................ entre mandón y cordial. Eduardo (*quedarse*) (37) ............................ un tiempo mirándolo; no (*saber*) (38) ............................ qué hacer. Cristián (*levantarse*) (39) ............................, (*despedirse*) (40) ............................ de Eduardo, no de Juliana, que (*ser*) (41) ............................ una cosa, (*montar*) (42) ............................ a caballo y (*irse*) (43) ............................ al trote, sin apuro.

Desde aquella noche la (*compartir*) (44) ............................ . Nadie (*saber*) (45) ............................ los pormenores de esa sórdida unión, que ultrajaba las decencias del arrabal. El arreglo (*andar*) (46) ............................ bien por unas semanas, pero no (*poder*) (47) ............................ durar.

Borges, J. L.: *La intrusa* (adaptado)

## 3 *¿Ser o estar?*

**Completa con *ser* o *estar* en el tiempo y modo adecuados.**

Una de estas noches yo llegué a Las Vegas y me encontré con toda esa gente que no había quien la cambiara y una voz zambullida en la oscuridad me dijo: Fotógrafo, siéntate aquí, toma algo, que yo pago, y (1) ............................ nada menos que Vítor Perla. Vítor tiene una revista que se dedica a poner muchachitas medio en cueros y a decir: una modelo con un futuro que salta a la vista o las poderosas razones de Tania Talporcual o la BB cubana dice que (2) ............................ Brigitte la que se parece a ella y cosas parecidas, que no sé de dónde sacan porque deben de tener un almacén de mierda en el cerebro para poder decir tantas cosas de una chiquita que ayer nada más (3) ............................ manejadora o criadita o trabajaba en Muralla y hoy (4) ............................ luchando con todo lo que tiene para destacarse. Ya ven, ya (5) ............................ hablando como ellos. Pero por alguna razón misteriosa (y si yo (6) ............................ un redactor de chismes en vez de las «eses» de misterioso pondría dos signos de peso) Vítor había caído en desgracia, (7) ............................ por eso que me asombré de que todavía (8) ............................ de tan buen humor. Mentira, lo primero que me asombró (9) ............................ que todavía (10) ............................ suelto y me dije: «Esta mierda todavía flota», y se lo dije. Bueno, quiero decir que le dije, Gallego, (11) ............................ un corcho español, y él sin perder la calma me contestó muerto de risa, Sí, pero tengo que tener algún plomo «clavao» adentro, porque ando medio «escorao».

Cabrera Infante, G.: *Tres Tristes Tigres* (fragmento)

## 4 Preposiciones

**Completa con la preposición que falta.**

1. Tienes que ser fiel .............. tus principios, es indispensable para sentirte bien contigo mismo.
2. Tenemos que organizarnos .............. grupos de trabajo para no dejarnos llevar por el caos.
3. No pienso pagar mucho por una casa que se construyó hace treinta años, .............. lo sumo 100 000 euros.
4. El vino tinto no va bien .............. el pescado, tiene un sabor demasiado fuerte.
5. Los soldados permanecieron .............. silencio absoluto durante la visita del general.
6. Aunque se parecen físicamente, son completamente distintos .............. carácter.
7. Era un individuo que no temía .............. nadie, pero cuando iba al dentista temblaba de miedo.
8. Aunque no me llamó para confirmar su asistencia, yo doy .............. supuesto que vendrá.
9. Yo creo que si vamos por el camino .............. la derecha saldremos directamente al lago.
10. El instinto de supervivencia es esencial .............. todos los seres vivos.
11. Los tatuajes son, .............. alguna manera, una forma de distinguirse de los demás.
12. Sí, es verdad que este chico tiene ciertas manías, pero tengo que pasarlas .............. alto. ¿Quién es perfecto?
13. Algunos artículos de la Constitución fueron modificados .............. el Parlamento para adaptarlos a los nuevos tiempos.
14. .............. medida que vayan entrando los alumnos, les vas dando los libros.
15. La aspirina hace efecto .............. el dolor de una manera inmediata.
16. He pensado que .............. lugar .............. cenar aquí podríamos cenar fuera, ¿no?
17. Por problemas ............... el fluido eléctrico, estaremos .............. luz durante dos horas.
18. No quiero gastarme más .............. la mitad .............. el sueldo .............. letras.
19. Tenemos que solucionarlo esta semana .............. falta.
20. Muchas personas se resisten .............. aceptar la realidad.

## 5 Completa con estas expresiones.

dale que dale ■ venga ■ ¡vaya...! ■ ¡estás tú bueno! ■ ¡ni hablar!

1. ■ Nosotros queríamos ir a nadar hoy, ¿tú qué dices?
   ❑ Yo, ¡ni loca! ¡............................ día de perros que habéis elegido!
2. ■ Creo que no tendrá inconveniente en darme cinco días de permiso. Él sabe mejor que nadie que trabajo como un loco.
   ❑ ............................ El tipo exige mucho, pero no da nada a cambio.
3. ■ No quiero volver a verle en mi vida.
   ❑ ............................, perdónale, mujer, te quiere muchísimo.
4. ■ Papá, déjame salir esta noche.
   ❑ Otra vez con lo mismo, te he dicho mil veces que no y tú ............................, parece que estás sordo de remate.
5. ■ Mamá, me gustaría que me dejaras tu coche este fin de semana, te prometo que no voy a correr.
   ❑ ............................ ¡Hasta ahí podíamos llegar!

Algo más

## Formación del diminutivo

Los diminutivos se forman eliminando la última vocal (si la palabra termina en *a* u *o*) y añadiendo las siguientes terminaciones:

- **-ito, -ita, -itos, -itas**
  La mayoría de las palabras y todos los nombres propios.
  *Juan = Juanito.*
- **-cito, -cita, -citos, -citas**
  Palabras terminadas en *-r*, *-n* y *-e*.
  *calor = calorcito.*
- **-ecito, -ecita, -ecitos, -ecitas**
  - Palabras monosílabas terminadas en consonante.
    *pez = pececito.*
  - Palabras bisílabas con los diptongos *ei*, *ie*, *ue* en la primera sílaba o *ia*, *io*, *ua* en la segunda.
    *puerta = puertecita.*
    Excepciones: *cielo = cielito (no cielecito); agua = agüita (no agüicita).*
- **-cecito, -cecita, -cecitos, -cecitas**
  Palabras monosílabas terminadas en vocal.
  *pie = piececito.*

En algunas zonas, en lugar de las terminaciones *-ito*, *-cito*, *-ecito*, *-cecito*, utilizan *-illo*, *-cillo*, *-ecillo*, *-cecillo* o *-ico*, *-cico*, *-ecico*, *-cecico*, pero no siempre son sustituibles porque con *-illo* significan otra cosa:

| | | |
|---|---|---|
| mesa | (mesita) | mesilla |
| cama | (camita) | camilla |
| máquina | (maquinita) | maquinilla |
| manzana | (manzanita) | manzanilla |
| casa | (casita) | casilla |
| espina | (espinita) | espinilla |
| sombra | (sombrita) | sombrilla |
| pera | (perita) | perilla |
| cepo | (cepito) | cepillo |
| cabeza | (cabecita) | cabecilla |
| cera | (cerita) | cerilla |

## 6 ¿Cómo crees que hablaría esta madre a su bebé?

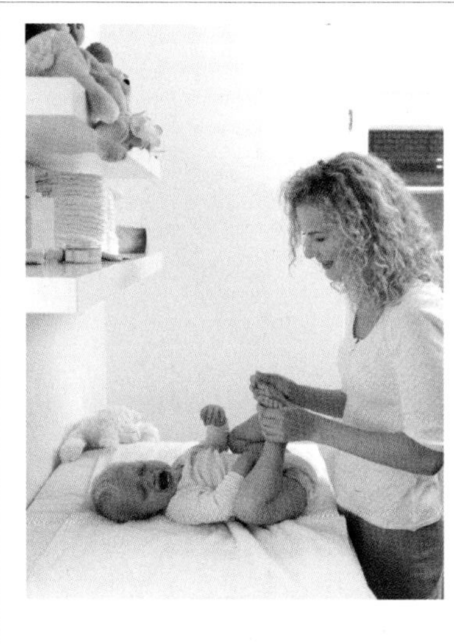

(*Luis*) (1) ............................, (*corazón*) (2) ............................, ¿por qué estás llorando? ¿No estarás (*malo*) (3) ............................? Estate (*quieto*) (4) ............................ y no muevas tanto las (*piernas*) (5) ............................ y los (*brazos*) (6) ............................ para que pueda cambiarte de pañal.

Así, muy bien, (*pequeño*) (7) ............................ mío. Luego te voy a dar un (*puré*) (8) ............................ con sus (*verduras*) (9) ............................ y su (*pescado*) (10) ............................ . A ver si te gusta y te lo comes todo, (*todo*) (11) ............................, y te haces un niño grande como tu (*hermano*) (12) ............................ (*Pedro*) (13) ............................ .

Después de comer, te llevaré al parque en tu (*coche*) (14) ............................ y vamos a dar de comer a los (*patos*) (15) ............................ y a las (*palomas*) (16) ............................ y pasaremos por casa de la (*abuela*) (17) ............................, que tiene muchas ganas de verte la (*pobre*) (18) ............................ y no puede salir de casa (*sola*) (19) ............................

## 7 Señala la opción correcta según el contexto.

1. Las gafas están en mi cuarto, en el cajón de la *mesita/mesilla*.
2. Quiero comprar una *mesita/mesilla* para colocar la tele encima.
3. Esta crema promete hace desaparecer las *espinillas/espinitas* de la piel en una semana.
4. Eres como una *espinilla/espinita* que se me ha clavado en el corazón.
5. Qué bien se está aquí a la *sombrilla/sombrita*.
6. Nunca voy a la playa sin *sombrilla/sombrita*. Me quemo enseguida.
7. Esa chica tiene la *cabecilla/cabecita* llena de pájaros.
8. La policía ha detenido al *cabecilla/cabecita* de la manifestación.
9. ¿Quieres que te pele una *manzanilla/manzanita* de postre?
10. Una *manzanilla/manzanita* después de comer ayuda a hacer la digestión.
11. Debería dejarse *perita/perilla*, está más atractivo.
12. ¡Es una *perita/perilla* en dulce!
13. ¡Eso es, pequeñín! Acuéstate en tu *camita/camilla*.
14. Se lo tuvieron que llevar en *camita/camilla* porque no podía incorporarse.

# EXPRESIÓN E INTERACCIÓN ESCRITAS

## Antes de nada

**El cierre y los complementos**

Se compone de: *despedida*, *antefirma* y *firma*, *anexos* y *posdata*.

- Despedida:
  - Debe ser respetuosa y concordar en género y número con el saludo.
  - Sin verbo y con coma (,) al final: **Atentamente, Cordialmente,**
  - Verbo en primera persona y con punto (.) al final: **Nos despedimos atentamente.**
  - Con verbo en tercera persona y nada al final: **Les saluda atentamente**

- Firma y antefirma: junto con la firma se suele poner el cargo (en minúscula) y/o nombre de la empresa (no se necesita en caso de cartas personales).

  Algunas veces la persona que escribe la carta no es la misma persona que la firma porque no está en ese momento. En este caso se escribirán las siguientes abreviaturas:
  - P.O. (por orden)
  - P.A. (por autorización)

**D. Miguel A. García**
***Director de ventas***

**Nuria Bes**
***Encargada de dirección***

# En respuesta a su anuncio...

## Escribe una carta de presentación

- En un anuncio de prensa has visto que una conocida agencia de traductores ofrece un puesto de trabajo a jóvenes de edades comprendidas entre los 25 y 35 años. Tú hablas varias lenguas y te interesa este puesto. En el tono y estilo adecuados, escribe una carta al jefe de personal en la que deberás:
  - Presentarte.
  - Hacer referencia al anuncio donde has visto la oferta.
  - Expresar tu interés por el puesto de trabajo.
  - Hablar de tu formación y adecuación al puesto que ofrecen.
  - Comunicar que adjuntas un currículum vítae y solicitas una entrevista.

## Recursos

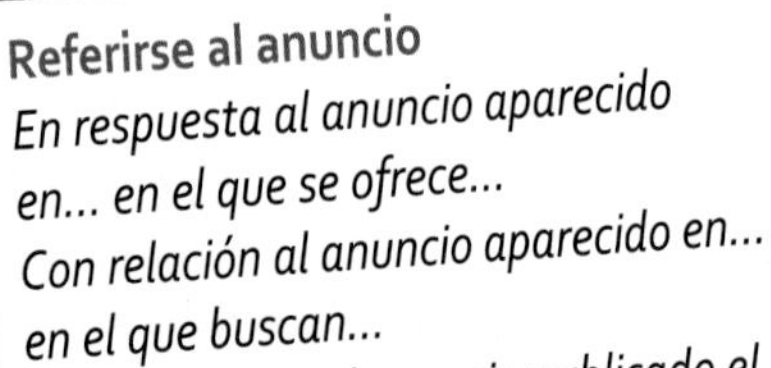

**Referirse al anuncio**

*En respuesta al anuncio aparecido en... en el que se ofrece...*
*Con relación al anuncio aparecido en... en el que buscan...*
*Con referencia al anuncio publicado el día... en... en el que se solicita...*

**Hablar de la experiencia y formación**

*Soy titulado/licenciado/doctor en...*
*Tengo el título de...*
*Por mi formación y experiencia profesional...*
*Tengo una gran experiencia/formación en...*
*Poseo conocimientos de...*

**Expresar interés**

*Estoy interesado en...*
*Tengo un gran interés en...*
*Me interesaría...*

**Solicitar una entrevista**

*Le agradecería la oportunidad de participar en...*
*Quedo a su disposición para...*
*Estoy a su disposición para concertar...*

# El encanto de la música

«En el siglo XIX surgieron músicas que expresaban la experiencia del sufrimiento en las crecientes urbes. *Blues* en Norteamérica, tango en Argentina, fado en Portugal y la rebética de los griegos. Esta música habla con claridad sobre los placeres y sentimientos de las clases populares. Estas músicas surgieron de las subculturas urbanas y expresaban los tabúes -sexo, alcohol, drogas, violencia- con un lenguaje "vulgar", "jerga" popular».

Sarmiento Anzola, L.

## Escribe un artículo especializado

- Escribe un artículo (150-200 palabras) para una revista musical y ponle un título. No olvides hacer referencia a:
  - Los diferentes tipos de música y la función social que tienen (música folclórica, canciones infantiles, marchas militares, música clásica, ópera, etc.).
  - La importancia de la música como expresión de los sentimientos.
  - Lo que representa para los jóvenes la música (el rol de los ídolos, los macroconciertos, el *rock* duro...).
  - Termina con una breve conclusión sobre la importancia de la música para el ser humano.

## Recursos

**Comparar**
*Muy diferente a, a diferencia de...*
*No se parece en nada a, no tiene nada que ver con...*
*Es incomparable...*
*No hay comparación posible con/entre...*

**Expresiones útiles**
*Es indudable, es impensable, está clarísimo, probablemente...*
*En cambio, por el contrario...*
*Con todo y con eso...*

# EXPRESIÓN E INTERACCIÓN ORALES

# La lengua nuestra de cada día

## Cada oveja con su pareja

**1** Relaciona las expresiones con su definición.

1. No se ganó Zamora en una hora.
2. De sopetón.
3. No se hizo la miel para la boca del asno.
4. Darse humos.
5. Traer cola.

a. Brusca, improvisadamente.
b. Es necedad ofrecer cosas valiosas al que no sabe apreciarlas.
c. Hay que tener paciencia ante una obra de gran envergadura.
d. Tener graves consecuencias.
e. Presumir o jactarse de algo.

## Un paso más

**2** Completa con una de las expresiones anteriores.

1. No tenía que haber insistido tanto delante de Juan. Ya sé que él siempre se sale con la suya y, después del malentendido de hoy, ya verás cómo el asunto ............................ .
2. ¡Es increíble! Aún no me explico lo que ha pasado. Estábamos todos charlando y disfrutando de la fiesta cuando, en mitad de la conversación, Isabel ............................, se levantó y, sin decir palabra, se fue. Nos quedamos todos boquiabiertos.
3. Tenemos entre manos un asunto que parece «ir para largo». Ya le he dicho a mi compañero que ............................ y que tenga paciencia.
4. ¡Parece mentira que haya gente así! Ayer estuve con Ignacio y, como hacía tiempo que no nos veíamos, empezó a hablarme sobre su nueva responsabilidad en el trabajo, etc., en fin, que no dejó de ............................ durante un buen rato.

## ¡Como un español!

**3** Has tenido un problema con tu jefe y es muy enfadado. Envía un correo electrónic un amigo contándole brevemente lo que sucedido. Utiliza las siguientes expresiones:

- De sopetón.
- No se hizo la miel para la boca del asno.
- Darse humos.
- Traer cola.

# Hablando se entiende la gente

## Algo más que monos, mucho menos que humanos

«El grupo parlamentario socialista está dispuesto a apadrinar el Proyecto Gran Simio, que aboga por una declaración de las Naciones Unidas sobre los derechos de los grandes simios».

«El proyecto, más allá de la protección de una especie animal, pretende su equiparación con los humanos. El argumento principal es que los grandes monos comparten con los humanos más del 98 % del ADN, expresan en su rostro emociones de miedo, ansiedad o felicidad, son capaces de crear herramientas rudimentarias, y muestran una limitada capacidad de aprendizaje y comunicación».

«El Proyecto aboga por la inclusión de los grandes monos en un comunidad de iguales, integrada por humanos, gorilas, orangutanes y chimpancés, y regida por unos principios morales básicos de obligado cumplimiento, mediante el desarrollo de una legislación adecuada».

Pestaña, Á.: *El País* (adaptado)

### Exposición oral

Prepara una exposición de unos cinco minutos sobre la conveniencia de otorgar derechos a los animales; su equiparación con el ser humano y su utilización en experimentos; el papel de las organizaciones de defensa de los animales, las leyes que los protegen, etc.

### Prepara tu intervención

- Reflexiona sobre las siguientes cuestiones:
  - ¿Qué te parece la afirmación sobre la equiparación entre los grandes simios y los humanos?
  - ¿Crees que los grandes simios podrían convivir con los humanos? En caso afirmativo explica en qué condiciones y cómo sería posible. En caso negativo justifica tus argumentos.

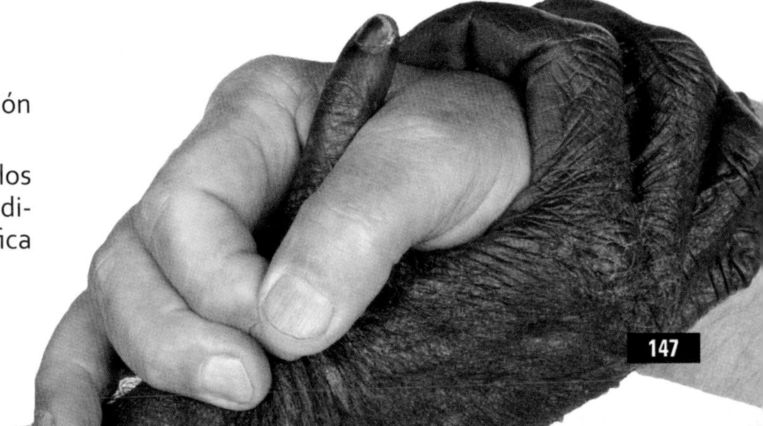

# RESUMEN GRAMATICAL

## FORMAS NO PERSONALES DEL VERBO

### FORMAS NO PERSONALES DEL VERBO

Las formas no personales del verbo, además, pueden formar parte de las formas verbales compuestas y perifrásticas y pueden tener diferentes valores:

- **Infinitivo**

  Es asimilable a un sustantivo y puede llevar complementos.
  Simple: *-ar*, *-er*, *-ir*/Compuesto: *haber* + participio.

  Funciones
  - Sujeto de una oración: *Hacer ejercicio es sano.*
  - Atributo de una oración: *Querer es poder.*
  - Complemento del verbo: *Se fue sin decir adiós.*
  - Complemento de un adjetivo: *Fácil de comprender.*

  Valores
  - Puede reemplazar al imperativo: *¡A dormir ahora mismo!*
  - Puede reemplazar al indicativo: *¿Qué haces? – Ver la tele.*
  - Puede hacer de sustantivo: *El comer rápido no es sano.*
  - Con preposiciones puede tener estos otros valores:

    Condicional: *en [el] caso de, a condición de, en el supuesto de, con tal de, de...*
    - *En caso de llegar nosotras primero, te esperaríamos.*
    - *Me prestó el coche a condición de dejarle el depósito de gasolina lleno.*
    - *En el supuesto de cambiar de dirección, comuníquennoslo.*

    Temporal: *hasta, después de/tras, antes de, al...*
    - *Insistió hasta convencerlo.*
    - *Toma la pastilla después de haber comido.*
    - *No olvides cerrar la llave del gas antes de salir.*

    Concesivo: *a pesar de, con...*
    - *Fue a la boda, a pesar de no haber sido invitado.*
    - *Con ser el mayor, es el más irresponsable de los hermanos.*

    Consecutivo: *hasta.*
    - *Siguió hablando hasta aburrir a la audiencia.*

    Causal: *por, de* (+ adverbio), *a fuerza de...*
    - *Se arruinó por no seguir los consejos de su socio.*
    - *Se cansó de tanto bailar.*
    - *Lo consiguió a fuerza de experimentar una y otra vez.*

    Final: *a, para, por, a fin de, con la intención de, con vistas a, con el objeto de, en orden a...*
    - *Se lo preguntaré directamente para saber lo que pasó.*

▶ **Gerundio**

Es asimilable a un adverbio.

Simple: *-ando*, *-iendo*/Compuesto: *habiendo* + participio.

Valores

Condicional

▶ *Comportándote con naturalidad, te irá mucho mejor en la entrevista.*

Temporal

▶ *Viendo que la puerta estaba abierta, entré en su despacho.* Gerundio simple (acción simultánea).

▶ *Mi padre murió teniendo yo solo once años.* Gerundio compuesto (acción anterior).

▶ *Habiendo terminado la traducción, sentí un gran alivio.*

Concesivo: *aun/ni, ... y todo*

▶ *Es difícil aprobar esta asignatura, aun/ni estudiando día y noche.*

▶ *Cojeando y todo, participó en la manifestación.*

Modal

▶ *Iba por la calle contoneándose de una forma exagerada.*

Causal

▶ *Viendo que no contestaba, dejé de insistir.*

▶ **Participio**

Es asimilable a un adjetivo. Varía en género y número.

Simple: *-ado*, *-ido*/Compuesto: *haber* + participio.

Con *haber* forma los tiempos compuestos: *he dicho.*

Con *ser* forma la voz pasiva: *fue hecho.*

Funciones

▶ Atributo con los verbos *ser* y *estar*: *Estoy cansado de estudiar.*

▶ Complemento del nombre: *Vendían coches usados.*

Valores

Condicional

▶ *El problema, analizado con objetividad, no es tan grave.*

Temporal: *después de/una vez.*

▶ *Después de acabada la misa, se dirigió a la sacristía.*

▶ *Una vez vendida la casa, no nos ataba nada a aquel lugar.*

Concesivo: *aun.*

▶ *Aun acabada la carrera con las mejores notas, no conseguía encontrar trabajo.*

Modal

▶ *Iba andando, metidas las manos en los bolsillos, por entre las callejuelas del puerto.*

# Unidad 9

## COMPRENSIÓN LECTORA

- **Paloma Díaz-Mas:** *Happening*
  - **Más de cerca:** actividades y estrategias de control de la comprensión.
  - **Enriquece tu léxico:** actividades y estrategias de ampliación del vocabulario.

## COMPRENSIÓN AUDITIVA

- **Texto informativo:** *Adicción a las nuevas tecnologías*
  - Tareas y estrategias de control de la comprensión.

## COMPETENCIA GRAMATICAL

- **Contenidos específicos**
  - Perífrasis verbales.
- **Contenidos generales**
  - Tiempos y modos verbales.
  - Contraste *ser/estar.*
  - Preposiciones.
  - Completa con los términos adecuados.
- **Algo más**
  - Uso de verbos de cambio.

## EXPRESIÓN E INTERACCIÓN ESCRITAS

- **Escribir una carta de reclamación**
  - Expresar disgusto, quejarse, reclamar, protestar, advertir.
- **Redactar un texto de opinión**
  - *El salario de toda la ciudadanía*

## EXPRESIÓN E INTERACCIÓN ORALES

- **La lengua nuestra de cada día**
  - Expresiones, refranes y frases hechas.
- **Hablando se entiende la gente**
  - **Exposición oral:** *Inmigrantes: subidos al carro del consumo*

## RESUMEN GRAMATICAL

- Perífrasis verbales.

## Paloma Díaz-Mas

VIDA Y OBRA

Madrid, 1954. Es doctora en Filología y licenciada en Periodismo. Inicia su carrera como escritora de ficción con *Biografías de genios, traidores, sabios y suicidas, según antiguos documentos.* Con su única obra de teatro, *La informante*, obtiene el Premio Teatro Breve Rojas Zorrilla en 1983. Ese mismo año se publica su primera novela, *El rapto del Santo Grial*, un libro al estilo del género de caballerías y con la que es finalista del Premio Herralde.

Vuelve a jugar con la recreación de textos medievales con *Tras las huellas de Artorius* (Premio Cáceres de Novela Corta en 1984) al que le sigue el libro de relatos *Nuestro milenio*, finalista del Premio Nacional de Narrativa en 1987 y la novela *El sueño de Venecia* en el que traza la historia del retrato de una cortesana del siglo XVII y con la que obtiene el X Premio Herralde en 1992.

En 2000 obtuvo el Premio Euskadi de narrativa en español, por *La tierra fértil*, de la que el jurado destacó la belleza y delicadeza de la narración.

En 1992 publica *Una ciudad llamada Eugenio* y *Como un libro cerrado*, una suerte de memorias. En 2014, y basándose en sus experiencias personales, analiza las relaciones con los gatos en *Lo que aprendemos de los gatos*.

### Happening

Tal vez a aquel profesor de literatura no le gustase mucho dar clase. Él era músico y compositor, cofundador del grupo Koan y miembro de las Juventudes Musicales, que –pese a su despistante nombre fascistoide– fue durante el franquismo un inquieto vivero de la música en España. Además, se ganaba la vida como profesor de literatura en el Instituto Lope de Vega; indudablemente, le gustaba la literatura y había leído muchísimo, pero una cosa es que a uno le guste leer, que ame la literatura como un arte, y otra cosa es que disfrute de la docencia. Siempre tuve la impresión de que a él no le gustaba dar clases –al menos al modo habitual– y, precisamente por eso, sus cursos eran maravillosos, imaginativos, nada convencionales. Con él se aprendía muchísimo más que con cualquier otro profesor, y además lograba fascinar hasta a las alumnas más reacias a leer.

Su clase consistía fundamentalmente en leer. Entraba el profesor en el aula como un músico que va a dar un concierto; incluso su vestimenta era la de un músico bohemio: iba siempre con traje y casi me atrevería a decir que con el mismo todo el año; un traje de color oscuro indefinido, gris o azul, quién sabe si negro, en todo caso de color ala de mosca, pulido por el uso y deslucido por el roce. Y lo mejor de todo: llevaba siempre corbata de pajarita. Ninguno de nuestros profesores se atrevía a venir a clase con pajarita, pero él sí; y además, ¡qué pajaritas! Un día la traía roja, otro negra, otro de lunares blancos sobre fondo azul. No cambiaba de traje, de vez en cuando cambiaba de camisa, pero casi todos los días cambiaba de pajarita. Y, lo que resulta más sorprendente, sus pajaritas nunca suscitaron ninguna hilaridad, ningún comentario despectivo en aquella clase de adolescentes criticonas y crueles. A él se le respetaba incluso con pajarita, o quizá precisamente por atreverse a entrar con pajarita en la jaula de los leones.

Mi aula de sexto de bachillerato estaba distribuida de manera que la puerta se encontraba al fondo de la clase y por tanto los profesores tenían que atravesar toda la sala para llegar a donde estaba la tarima, con la pizarra y la mesa. Así que el profesor

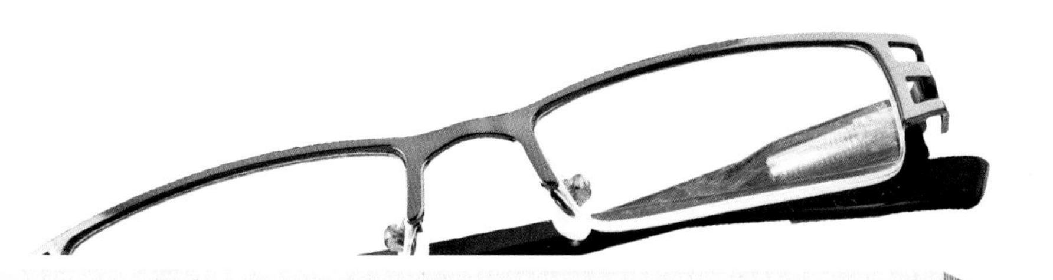

de literatura entraba, vestido de director de orquesta, como un músico que tiene que atravesar todo el patio de butacas para llegar al escenario. Llegaba y se sentaba en la mesa; quiero decir encima de la mesa, más bien medio encabalgado en ella, con la pierna derecha sobre el tablero y la izquierda planta- 40 da en el suelo, como quien monta a caballo «a la mujeriega». Y, cabalgando así, abría un libro (luego me he dado cuenta de que, conscientemente o no, imito su incomodísima postura cuando yo misma doy clase).

Nos contaba algo muy somero sobre el libro o el autor. Y lue- 45 go empezaba a leer con la entonación justa y la pronunciación adecuada. Y no se andaba con chiquitas: siguiendo el programa vigente entonces, empezaba directamente por el *Cantar de Mio Cid*, en crudo y sin adaptar al español actual. Y a lo largo del curso seguía leyendo, y leyendo, y leyendo. A cada poco 50 se detenía a explicarnos su sentido literal y también su sentido profundo, el trasfondo social o cultural o personal que se ocultaba tras cada frase, tras cada párrafo, tras cada página.

En realidad lo que hacía era un recital. En lugar de ofrecernos un concierto de música, nos lo ofrecía de literatura; el ins- 55 trumento era el libro y él lo tocaba con habilidad de virtuoso, extrayendo del texto unas notas que ningún otro instrumentista sabía sacar. Cuando sonaba el timbre de fin de clase y tenía que interrumpir su lectura sin acabar el pasaje, esperábamos curiosas e intrigadas a la siguiente sesión para ver cómo terminaba 60 la historia, como quien espera la continuación de una novela por entregas. A veces, ladinamente, el profesor «se olvidaba» de seguir con la misma lectura en la sesión siguiente, y empezaba con un libro nuevo; entonces a nosotras solo nos quedaba una opción: ir a la biblioteca del instituto, buscar el libro y 65 comprobar por nosotras mismas cómo seguía. Cuántas lecturas no obligatorias leíamos así….

Díaz-Mas, P.: *Como un libro cerrado* (adaptado)

## Más de cerca

### 1 Señala si es verdadero (V) o falso (F) según lo que escribe la autora en el texto.

| | V | F |
|---|---|---|
| 1. El profesor era un músico franquista al que no le gustaba mucho la docencia. | ☐ | ☐ |
| 2. Le preocupaba mucho su atuendo, aparecía siempre muy bohemio. | ☐ | ☐ |
| 3. Impartía sus clases en una postura poco convencional. | ☐ | ☐ |
| 4. No evitaba tratar los textos más difíciles de la literatura española. | ☐ | ☐ |
| 5. Utilizaba pequeñas astucias para fomentar la lectura entre sus alumnas. | ☐ | ☐ |

### 2 Elige la opción correcta.

1. **La clase resultaba interesante porque…**
   a. el profesor se olvidaba de terminar sus lecturas y así acababa pronto.
   b. consistía en un recital de música escrito por un buen instrumentista.
   c. hacía que las alumnas quisieran continuar leyendo los textos por su cuenta.
2. **Las explicaciones del profesor…**
   a. eran extensas, apropiadas y trataban todos los temas que la lectura sugería.
   b. se limitaban a situar la obra en su contexto dando preferencia a su lectura.
   c. eran crudas, realistas y profundas.

### 3 Participas en un foro.

Participas en un foro de antiguos alumnos sobre los profesores que han dejado huella en la vida de sus estudiantes. Comenta las siguientes cuestiones.

- Qué profesores te han marcado y de qué forma. Da ejemplos.
- Qué cualidades crees que debe tener un buen docente. Justifica tu respuesta.
- ¿Crees que la enseñanza personal puede sustituirse por la virtual sin que sufra menoscabo? Argumenta tu respuesta.

## Enriquece tu léxico

**1** Relaciona las palabras del texto con sus sinónimos.

| | |
|---|---|
| 1. inquieto | a. indumentaria |
| 2. habitual | b. agitado |
| 3. indudablemente | c. elección |
| 4. disfrutar | d. ordinario |
| 5. imaginativo | e. cruzar |
| 6. fascinar | f. encantar |
| 7. reacio | g. superficial |
| 8. vestimenta | h. manifiestamente |
| 9. indefinido | i. impreciso |
| 10. deslucido | j. gozar |
| 11. cambiarse | k. actual |
| 12. suscitar | l. ingenioso |
| 13. criticón | m. mudarse |
| 14. distribuida | n. remiso |
| 15. atravesar | ñ. dispuesta |
| 16. incómodo | o. gastado |
| 17. somero | p. provocar |
| 18. habilidad | q. penoso |
| 19. vigente | r. puntilloso |
| 20. opción | s. pericia |

**2** Encuentra el antónimo.

| | |
|---|---|
| 1. siempre | a. odiar |
| 2. hilaridad | b. nunca |
| 3. despectivo | c. llanto |
| 4. despistar | d. revelarse |
| 5. atreverse | e. inconscientemente |
| 6. conscientemente | f. afectivo |
| 7. amar | g. voluntario |
| 8. convencional | h. extraordinario |
| 9. ocultarse | i. amilanarse |
| 10. obligatorio | j. orientar |

REAL ACADEMIA ESPAÑOLA

Diccionario de la lengua española

**3** ¿Qué sentido tienen estos términos en el texto de Díaz-Mas? Elige la opción correcta.

**Virtuoso, sa**

1. adj. Que no es efectivo o real, aunque tiene todas las posibilidades de serlo. (Virtual).
2. adj. Dicho de un artista: Que domina de modo extraordinario la técnica de su instrumento.

**Interrumpir**

1. tr. Interponerse en el funcionamiento de algo alterándolo o impidiéndolo.
2. tr. Cortar la continuidad de algo en el lugar o en el tiempo.

### ¿Y tú?

Como sabes, el prefijo *in-** significa 'falta o negación de la cosa expresada por la palabra original'.

- Piensa en cinco palabras con este prefijo y explica en qué contexto las utilizarías.
- ¿Qué cosas haces de forma inconsciente?
- ¿En qué eres inconstante?
- ¿Qué situaciones te hacen sentir incómodo o inquieto?
- ¿Eres ingenuo o ingenioso?

* Cuando la palabra comienza por *p-* o *b-*, en lugar de *in-* se escribe *im-* > *imborrable*.

## 4 Completa cada frase con uno de los siguientes términos. Haz las transformaciones necesarias.

inquieto ■ habitual ■ indudablemente ■ disfrutar ■ imaginativo ■ fascinar ■ reacio
vestimenta ■ indefinido ■ deslucido ■ cambiarse ■ suscitar ■ criticón ■ distribuido
atravesar ■ incómodo ■ somero ■ habilidad ■ intrigado ■ opción

1. Silvia sentía hacia él un odio ............................ y no sabía explicar cuál era su causa.
2. Dicen los científicos que la tendencia sexual no es una ............................, es un instinto.
3. ............................ la época más feliz del matrimonio es la luna de miel; lo malo es que para repetirla, han de suceder cosas muy desagradables. (Noel Clarasó)
4. Se decepcionó cuando el médico le hizo un examen tan ............................ . Ella esperaba que le mandara hacerse una analítica completa.
5. ............................ de todos los placeres es insensato; evitarlos, insensible. (Plutarco)
6. Yo soy ............................ a prestar mi coche a otras personas, pero menos aún a mi mujer.
7. Es desgracia ............................ en los ineptos la de engañarse al elegir profesión, al elegir amigos y al elegir casa. (Baltasar Gracián)
8. Un científico debe ser ............................ y a la vez escéptico, creativo, pero también crítico.
9. Me gustó mucho su casa porque además de ser acogedora estaba bien ............................ .
10. La ropa es la ............................ del cuerpo, la personalidad la del alma. (César Díaz)
11. Su espíritu ............................ lo impulsaba a viajar constantemente para conocer otras culturas.
12. Me ............................ el trabajo. Podría estar sentado horas y horas viendo cómo trabajan otros.
13. Todos piensan en cambiar el mundo, pero nadie piensa en ............................ a sí mismo. (L. Tolstói)
14. El talento se tiene naturalmente. La ............................ se desarrolla a través de horas y horas de dedicación a una actividad.
15. El triunfo del equipo de fútbol resultó ............................ debido a los daños que ocasionaron sus hinchas.
16. Las palabras que me dijo me ............................ tanto interés como desconcierto.
17. No seas tan ............................, que ese trabajo no es tan malo.
18. Cuando se disponía a ............................ la calle, un taxi que venía a mucha velocidad la atropelló.
19. La razón por la que los romanos construyeron grandes carreteras pavimentadas era porque tenían ese ............................ calzado. (Montesquieu)
20. A pesar de que no me gustaba mucho cómo estaba escrito el libro, continué leyéndolo porque su trama me mantenía ............................ .

## 5 ¿Cuál de los sinónimos siguientes no pertenece a la lista? Justifica tu respuesta.

1. inquieto: travieso, bullicioso, nervioso, calmado, desasosegado.
2. vestimenta: vestuario, ropaje, atuendo, ropa, camisa.
3. habilidad: arte, maestría, ingenio, práctica, maña.
4. criticar: censurar, reprender, reprobar, murmurar, elogiar.
5. incómodo: embarazoso, indefinido, desagradable, molesto, fastidioso.

# Adicción a las nuevas tecnologías

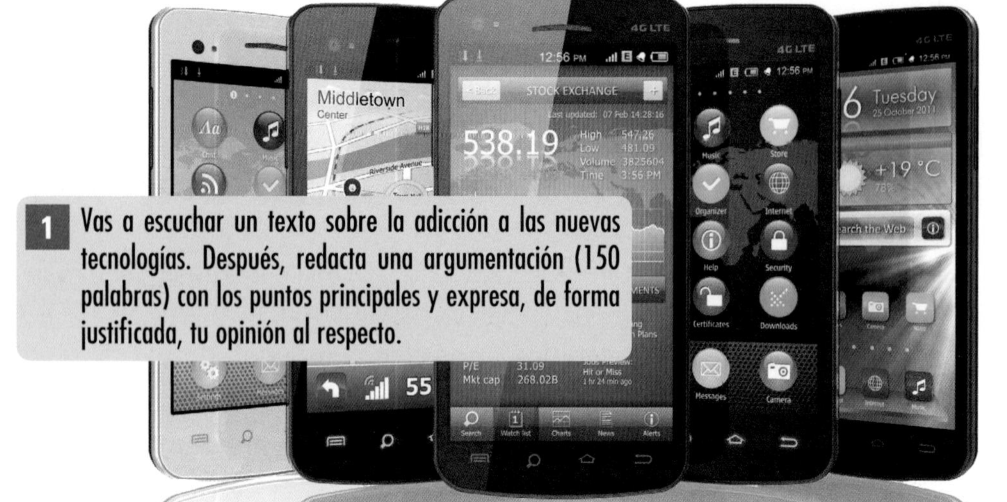

**1** Vas a escuchar un texto sobre la adicción a las nuevas tecnologías. Después, redacta una argumentación (150 palabras) con los puntos principales y expresa, de forma justificada, tu opinión al respecto.

Pista 9

Audio descargable en tuaulavirtual www.edelsa.es

**2** Vuelve a escuchar el texto y elige las tres opciones que mejor lo resumen entre las seis que te damos. Indica en qué orden las dicen.

a. La mayoría de usuarios de *e-mail* o teléfono móvil consulta sus correos o mensajes durante las reuniones de trabajo. ☐

b. El hecho de recibir información constantemente provoca pérdida de concentración. ☐

c. Las secretarias pierden mucho tiempo contestando la gran cantidad de correos que reciben. ☐

d. Vivir pendiente del correo electrónico o del móvil repercute negativamente en la lengua. ☐

e. Es frecuente hacer llamadas telefónicas para completar aquellos mensajes que no están claros. ☐

f. La *infomanía* influye en la capacidad de las personas a la hora de realizar sus actividades. ☐

**3** ¿Lo has entendido bien? Elige la opción correcta.

**1**

a. Estar preocupado o demasiado atento a los nuevos medios de comunicación perjudica las relaciones personales.

b. El número de mujeres víctimas de *infomanía* es el doble que el de hombres.

c. Las mujeres, al recibir más información que los hombres, tienen más estrés.

**2**

a. La *infomanía* se define como la constante circulación de los mensajes y la información.

b. Tener gran cantidad de información empeora la capacidad de trabajo.

c. La mayoría de usuarios de móviles que verifica sus mensajes lo hace fuera del trabajo.

**3**

a. Dejar mensajes sin responder beneficia la capacidad de concentración.

b. A veces, se pierde más tiempo intentando saber qué dice un correo que haciendo una llamada de teléfono.

c. Las secretarias tienen un puesto clave, de ahí que tengan que contestar a todos los mensajes que les llegan.

A BC

## 1 Perífrasis verbales

**Completa las frases con una perífrasis verbal utilizando la mayor variedad posible.**

1. Seguramente queda algo de comida en la nevera. - ............................ algo de comida en la nevera.
2. Finalmente, el edificio se hundió. - El edificio ............................ .
3. He de escribir una reseña de este libro. - ............................ una reseña de este libro.
4. Hacía mucho tiempo que lo buscaba. - ............................ mucho tiempo ............................ .
5. Se han marchado hace poco. - ............................ .
6. Te he dicho muchas veces que no fumes en el dormitorio. - ............................ que no fumes en el dormitorio.
7. De repente, las palomas empezaron a volar. - De repente, las palomas ............................ .
8. La niña empezó a cantar alegremente. - La niña ............................ alegremente.
9. Ese libro no se ha escrito todavía. - Ese libro todavía ............................ .
10. Al final lo comprendió. - ............................ .
11. Dijo más o menos que estaba loca. - ............................ que estaba loca.
12. Se enfadó mucho y al final se fue. - Se enfadó mucho y ............................ .
13. La casa todavía huele a pescado. - La casa ............................ a pescado.
14. Hace ya un mes que no fuma. - ............................ un mes sin ............................ .
15. Últimamente tiene un interés inexplicable por la retórica. - Últimamente ............................ la retórica.
16. Ya he puesto la mesa. - Ya ............................ la mesa.
17. Nos faltó muy poco para tener un accidente. - ............................ tener un accidente.
18. Me dan ganas de dejarlo todo y marcharme. - ............................ dejarlo todo y marcharme.
19. Corre, que el tren va a salir en cualquier momento. - Corre, que el tren ............................ .
20. Si aceptan colaborar, será mejor para todos. - Si aceptan colaborar todos, ............................ .

## 2 Piensa por un momento en el día de ayer y escribe lo que hiciste. Utiliza las siguientes perífrasis.

empezar a ■ estar + *gerundio* ■ seguir + *gerundio* ■ estar para ■ ponerse a ■ romper a
dejar + *participio* ■ salir + *gerundio* ■ llegar a + *infinitivo* ■ deber + *infinitivo*

## 3 Indicativo o subjuntivo

**Completa el texto con los tiempos y modos adecuados.**

### La niña sin alas

«Había una vez un tiempo en que los hombres no tenían alas». Así (*empezar*) (1) ............................ todos los cuentos que me (*contar*) (2) ............................ mi madre cuando yo (*ser*) (3) ............................ niña: remitiéndose a una época antigua y tal vez mítica en que los hombres no (*adquirir*) (4) ............................ aún la capacidad de volar. A mí me (*gustar*) (5) ............................ mucho oír aquellas historias, y le (*pedir*) (6) ............................ que las (*repetir*) (7) ............................ una y otra vez, aunque ya me las (*saber*) (8) ............................ de corrido: la de aquel héroe desalado que, a falta de alas propias, (*construirse*) (9) ............................ unas de cera y plumas de ave; pero, al volar cerca del sol, la cera (*derretirse*)

(10)............................ y él (*caer*) (11)............................ al mar y (*ahogarse*) (12)............................ . O aquel otro que (*inventar*) (13)............................ un artilugio de lona y madera para, arrojándose desde lo alto de las montañas, planear sobre los valles de su país aprovechando las corrientes de aire cálido: una cosa que hoy en día todos (*hacer*) (14)............................ de forma intuitiva, pero que así contada me (*parecer*) (15)............................ nueva e inusual, como si yo misma (*acabar*) (16)............................ de descubrir un fenómeno tan cotidiano que hoy (*pasar, a nosotros*) (17)............................ inadvertido.

Lo que jamás (*imaginar*) (18)............................ oír en los cuentos de mi madre es que alguna vez yo misma llegaría a sentir como propia y cercana la carencia de alas.

Nunca (*tener*) (19)............................ una gran vocación por la maternidad. Recuerdo que, de adolescente, muchas amigas mías (*hacer*) (20)............................ planes ilusionadas con respecto al momento de convertirse en madres; (*parecer*) (21)............................ que no (*tener*) (22)............................ otra vocación en el mundo. [...]

Con el tiempo (*ir*) (23)............................ comprendiendo que ser madre no (*ser*) (24)............................ ninguna obligación. Por eso, al filo de los cuarenta años, felizmente casada y situada profesionalmente, (*renunciar*) (25)............................ a tener hijos. [...] Entonces (*saber*) (26)............................ que (*quedarse*) (27)............................ embarazada.

Desde el principio, a mi marido y a mí nos (*extrañar*) (28)............................ la solícita preocupación del médico, su insistencia en someterme a pruebas y análisis, en repetir algunos de ellos alegando que no (*ver*) (29)............................ claros los resultados. (*Parecer*) (30)............................ que algo no (*ir*) (31)............................ bien y, en efecto, así (*ser*) (32)............................: (*estar*) (33)............................ ya en el inicio del tercer mes de embarazo cuando el doctor nos (*convocar*) (34)............................ en su despacho y nos (*dar*) (35)............................ las dos noticias. La primera que el bebé (*ser*) (36)............................ una niña; la segunda, que con toda probabilidad nacería sin alas.

Díaz-Mas, P.: *La niña sin alas* (adaptado)

## 4 ¿*Ser* o *estar*?

**Completa con *ser* o *estar* en el tiempo y modo adecuados.**

«Pienso, luego (1)............................», dijo el hombre famoso. Los árboles de mi jardín (2)............................, pero no creo que piensen, con lo que se demuestra que el señor Renato no (3)............................ en su sano juicio y que lo mismo sucede con otros seres: mi suegro por ejemplo: (4)............................ y no piensa, o mi editor, que piensa y no (5)............................ . Y si lo ponemos al revés, tampoco (6)............................ cierto. No existo porque pienso ni pienso porque existo. Pensar (7)............................ cierto, existir (8)............................ un mito. Yo no existo, sobrevivo, vivir –lo que se dice vivir– solo los que no piensan. Los que se ponen a pensar no viven. La injusticia (9)............................ demasiado evidente. Bastaría pensar para suicidarse. No; don Descartes: vivo, luego no pienso, si pensara no viviría. Hasta se podría hacer un bonito soneto: Pienso, luego no vivo, si viviera no pensaría, señor... etc., etc. Si para vivir se necesitara pensar, (10)............................ lucidos. Pero, en fin, si ustedes (11)............................ convencidos de que así (12)............................, (13)............................ inocente, totalmente inocente, ya que no pienso ni quiero pensar. Luego si no pienso no (14)............................ y si no (15)............................, ¿cómo voy a (16)............................ responsable de esa muerte?

Aub, M.: «Dos crímenes barrocos», *Grandes minicuentos fantásticos*

## 5 Preposiciones

**Completa con la preposición que falta.**

1. Entramos .............. el cine pensando que lo pasaríamos bien, pero la película resultó ser una birria.
2. En la oficina se cebaron .............. él porque era la persona más débil.
3. No sé .............. quién me has tomado, pero yo, desde luego, tonto no soy.
4. Siempre se ha dicho que el aceite de oliva es muy bueno .............. la salud.
5. Se esforzó mucho .............. hacerse un hueco en el mundo de la política.
6. Tienes que soportar .............. estoicismo tu enfermedad, por muy duro que te resulte.
7. Al muy egoísta no le gusta privarse .............. nada, aunque sabe que su familia vive una situación económica crítica.
8. Es como una hormiguita, fue comprando un piso tras otro, y ahora se ha hecho .............. cinco y ya puede vivir de las rentas.
9. Yo, gracias a Dios, no le debo nada .............. nadie, saldé mis deudas hace tiempo.
10. Su manía de jugar en el casino lo llevó .............. la ruina.
11. Está endeudado hasta las cejas, y todo .............. presumir de que tiene un coche Mercedes último modelo.
12. Siempre le ha gustado mucho hacer una excesiva ostentación .............. su inteligencia.
13. En los últimos tiempos hay muchas personas que son adictas .............. trabajar cada vez más, tal vez para evadirse de sus problemas.
14. Pienso mucho .............. él, a pesar de los años transcurridos, no consigo olvidarlo.
15. Tiene una tendencia .............. la melancolía heredada de su madre.

## 6 Completa el texto con estos términos.

aunque ■ porque ■ ya ■ desde que ■ tantos ■ antes de
una ■ sin embargo ■ cada (x2) ■ desde ■ otros ■ más

### El bibliometro

Los lectores viajeros del suburbano (1) ............................ tienen los libros más cerca. Con dos años de retraso, las estaciones de metro de Canal (desde el 17 de agosto), Aluche (24 de agosto), Moncloa (6 de septiembre) y Nuevos Ministerios (finales de julio) ya tienen su propia biblioteca. El alcalde de Madrid, Alberto Ruiz-Gallardón, inauguró ayer oficialmente el Bibliometro, (2) ............................ de sus promesas electorales, (3) ............................ lleva funcionando en pruebas (4) ............................ el 27 de julio.

Un portavoz municipal aseguró que (5) ............................ final de año los 500 títulos y 3 000 volúmenes que ofrece (6) ............................ estación estarán disponibles en cuatro estaciones (7) ............................: Puerta de Arganda, Sierra de Guadalupe, Mar de Cristal y Puerta del Sur.

(8) ............................, los lectores tendrán que ajustarse a los horarios de tarde (9) ............................ el Bibliometro solo estará abierto de dos a ocho de la tarde de lunes a viernes. Los libros se prestan, de forma gratuita, por quince días, con posibilidad de renovarlos (10) ............................ quince. Los despistados se quedarán sin derecho a préstamo (11) ............................ días como los que tarden en devolver el libro.

Para consultar los títulos disponibles en (12) ............................ módulo se han puesto pantallas táctiles que permiten realizar una búsqueda por autor, género o título e incluye libros recomendados. (13) ............................ se puso en marcha en Nuevos Ministerios, a finales de julio, se han prestado ya 3 252 libros y se ha expedido el carné a 3 065 usuarios. También pueden usar su servicio de préstamo todos los socios de la red de bibliotecas públicas de la región.

*El País*

Algo más

## Verbos de cambio

- **Ponerse**
  Cambio involuntario y generalmente momentáneo (en el estado de ánimo, el aspecto físico o de salud). Así, si alguien se pone serio, está serio, pero no es necesariamente serio. Aun así hay restricciones de uso. Por ejemplo, no decimos «ponerse aburrido», aunque digamos «aburrirse» y «estar aburrido».
  - + adjetivos: *rojo, triste, enfermo, nervioso, serio, pesado, lívido, gordo, furioso, contento, insoportable, pálido, bueno*, etc.
- **Hacerse**
  Cambio voluntario que implica evolución personal (ideología, profesión, etc.) o una transformación por lo general gradual, a excepción de «hacerse viejo». Así, si alguien se hace rico, es rico y no está rico.
  En ocasiones no expresa cambio, sino que significa «fingir»: el loco, el muerto, el enfermo, etc.
  - + adjetivos: *rico, mayor, español, republicano, famoso, budista, necesario*, etc.
  - + sustantivos: *monja, amigo*, etc.
- **Volverse**
  Cambio apreciable de cualidad más duradero que con «ponerse». A diferencia de «hacerse», normalmente se utiliza con rasgos de la personalidad. Así, si alguien se vuelve antipático, es ya antipático.
  - + adjetivos: *loco, antipático, idiota, alcohólico, pesimista, insoportable, desconfiado*, etc.
  - + artículo indeterminado + sustantivos: *una persona muy egoísta*, etc.
- **Quedar(se)**
  Cambio después de un suceso o como resultado de un proceso. Así, si alguien se queda tranquilo, está tranquilo sin serlo necesariamente.
  - + adjetivos: *pensativo, huérfano, calvo, cojo, embarazada, satisfecho, aislado, dormido, soltero, hecho polvo, asustado, conforme, sorprendido, anticuado, callado, quieto, solo, perplejo*, etc.
  - + locución adverbial: *a gusto, a solas*.
- **Convertirse en**
  Cambio radical de cualidad o de naturaleza. Representa una transformación importante, a veces debida a las circunstancias.
  - + sustantivos: *una moda, una estrella, hielo*, etc.
  - + adjetivos sustantivados: *un indeseable, un desalmado*, etc.
- **Llegar a ser**
  Cambio gradual que se considera un logro.
  - + adjetivos: *famoso, conocido*, etc.
  - + sustantivos: *presidente, una figura*, etc.
  - + adjetivos sustantivados: *el primero de la clase, demasiado poderoso*, etc.

## 7 Verbos de cambio

**¿Qué verbo de cambio es el más adecuado?**

### Blancanieves

Blancanieves era una princesita muy bonita, con un cutis blanco como la nieve, labios y mejillas rojos como la sangre, y cabellos negros como el azabache. Pero su padre, el rey, murió y Blancanieves (1)............................ huérfana.

Según (2)............................ mayor, Blancanieves (3)............................ aún más guapa y su madrastra, la reina, (4)............................ muy celosa, pues temía que Blancanieves (5)............................ aún más hermosa que ella.

El día que la reina consultó su espejo mágico y este le respondió que Blancanieves (6)............................ la mujer más bella del reino, la reina (7)............................ roja de ira y llamó a uno de sus cazadores para que se deshiciera de la joven en el bosque. Cuando se adentraron en la espesura, el cazador se apiadó de ella y la dejó marchar.

Blancanieves vagó por el bosque hasta que encontró una casita con las luces encendidas. La puerta estaba abierta y en su interior había siete camitas. Blancanieves se tumbó en una de ellas y estaba tan cansada que (8)............................ profundamente dormida.

La casa pertenecía a siete enanitos, quienes (9)............................ atónitos al ver a la joven. Blancanieves les contó su historia y los enanitos, que tenían buen corazón, (10)............................ muy tristes al oírla y le ofrecieron quedarse a vivir con ellos. Blancanieves (11)............................ muy agradecida.

La reina pensaba que Blancanieves había muerto y decidió consultar su espejo mágico otra vez. Cuando este le contestó que Blancanieves seguía siendo la más bella (12)............................ furiosa, lo estrelló contra el suelo y el espejo (13)............................ añicos, rompiéndose en mil pedazos.

La madrastra de Blancanieves decidió entonces disfrazarse y encontrar a la joven para matarla ella misma. Así, en apariencia (14)............................ una inofensiva viejecita, cogió una cesta de manzanas envenenadas y partió en su búsqueda...

## 8 ¿Conoces el final del cuento? Escríbelo utilizando para ello algunos verbos de cambio.

## 9 Ya conoces que *enrojecer* = *ponerse rojo* y *entristecerse* = *ponerse triste*. ¿Qué verbos podríamos utilizar para sustituir a los siguientes?

1. hacerse viejo ........................................................
2. ponerse pálido ........................................................
3. ponerse blando ........................................................
4. hacerse rico ........................................................
5. ponerse derecho ........................................................
6. quedarse encogido ........................................................
7. quedarse sordo ........................................................
8. volverse loco ........................................................
9. ponerse enfermo ........................................................
10. quedarse sorprendido ........................................................
11. quedarse tranquilo ........................................................
12. ponerse peor ........................................................

## Antes de nada

- **Anexo**
  Se incluyen aquí los documentos que acompañan a la carta y que ya han sido mencionados. En caso de adjuntar más de un anexo, se escribe en plural, «anexos».

  Anexo: CV

  Anexos: 1 catálogo
  1 lista de precios

- **Posdata**
  Se utiliza cuando se quiere añadir algo o llamar la atención sobre algún punto en concreto. Hay varias posibilidades:

  N.B. (*nota bene*)

  P.D. (postdata)

  P.S. (*post scriptum*)

## ¡Esto es intolerable!

### Escribe una carta de reclamación

- Has llevado una prenda de vestir a una tintorería y al llegar a tu casa has comprobado con asombro que había encogido. Tú advertiste que tenía que ser limpiada en seco. En el tono y estilo adecuados, escribe una carta de protesta a la oficina del consumidor en la que deberás:
  - Exponer detalladamente cuál es el problema.
  - Expresar claramente tu disgusto.
  - Pedir una indemnización por los perjuicios que este hecho te ha ocasionado.
  - Advertir que si no hacen algo al respecto tomarás las medidas oportunas.

## Recursos

**Quejarse, reclamar, protestar**
*Tendrían que...*
*No hay derecho...*
*No puede ser que...*
*¡Esto es intolerable!*
*¡Con lo que...!*
*¿Cómo es posible que...?*

**Advertir**
*Le advierto que...*
*En caso de no...*
*Si no...*
*Le anticipo que...*

**Expresar disgusto**
*No me parece bien...*
*Me incomoda...*
*Me molesta...*
*Me parece una falta de...*
*Parece mentira que...*
*Es indignante que...*

# El salario de toda la ciudadanía

[…] «La renta básica es un ingreso pagado por el Estado a cada miembro de pleno derecho de la sociedad, incluso

a) si no quiere trabajar de forma remunerada

b) sin tomar en consideración si es rico o pobre […]

c) sin importar con quién conviva».

«Existen dos resistencias: la primera es de naturaleza ética o normativa y puede expresarse con esta pregunta: ¿quien no quiera trabajar de forma remunerada en el mercado tiene derecho a percibir una asignación incondicional? Y la segunda es una resistencia intelectual exclusivamente técnica, según la cual podría tratarse de una bonita idea, pero completamente irrealizable, y también puede ser expuesta interrogativamente: ¿es la renta básica una quimera?».

Raventós, D.: *Revista Claves*, n.º 106

«… el verdadero demócrata debe procurar que el pueblo no sea demasiado pobre, porque esta es la causa de que la democracia sea mala. Por tanto, hay que discurrir los medios de dar al pueblo una posición acomodada permanente».

[Aristóteles: Política 1320a]

## Redacta un texto de opinión

- Expresa tu postura personal sobre la original e interesante propuesta de Raventós. Deberás escribir entre 150 y 200 palabras teniendo en cuenta los siguientes puntos:
  - Aspectos positivos que conllevaría esta medida, por ejemplo: erradicación de la pobreza, aumento del trabajo voluntario no asalariado, etc., así como la parte negativa de la misma: alto coste para la economía de un país, pérdida de iniciativas personales, etc.
  - La importancia del trabajo asalariado como opción, no como obligación.
  - Posibilidades de llevar a cabo dicha medida.
  - Termina con una breve conclusión.

# EXPRESIÓN E INTERACCIÓN ORALES

# La lengua nuestra de cada día

## Cada oveja con su pareja

**1** Relaciona las expresiones con su definición.

1. Hacer su agosto.
2. Dar en el clavo.
3. Armar(se) la de Dios.
4. Quedarse frito.
5. Poner a alguien de hoja perejil.

a. Quedarse dormido.
b. Hacer un buen negocio. Sacar provecho.
c. Hablar muy mal de alguien.
d. Provocar alboroto, escándalo o pelea.
e. Decir algo con que se descubre el pensamiento o intenciones ocultas de otra persona. Acertar.

## Un paso más

**2** Completa con una de las expresiones anteriores.

1. En la fiesta de María había personas de izquierdas y de derechas, empezaron a discutir de política y .............................. .
2. La mayoría de los ciudadanos .............................. al concejal cuando se enteraron de sus nuevas gestiones.
3. El regalo que le hiciste a Fernando le entusiasmó, era algo que llevaba buscando mucho tiempo, te felicito, porque ..............................
4. Con el auge del turismo en España en la década de los 70, muchos constructores .............................. y se enriquecieron de un día para otro.
5. Estábamos hablando de un tema interesantísimo cuando de pronto vimos que .............................. . Debía de estar rendido.

## En otros lugares

**3** Como sabes, en español existen numerosas expresion relacionadas con el vocabulario de la alimentación. Aq tienes algunas.
¿Qué crees que significan? ¿Hay alguna parecida en lengua?

- Hacerse la boca agua.
- Importarle a alguien algo un comino/pimiento.
- Poner toda la carne en el asador.
- Ser un melón.

# Hablando se entiende la gente

## Inmigrantes: Subidos al carro del consumo

«Vinieron con poco o nada en los bolsillos, hoy copan el 25 por ciento de las hipotecas y solo el año pasado gastaron 1 500 millones de euros en móviles y vídeos y 4 000 en la cesta de la compra. Con estas cifras han pasado de ser un "problema" a un goloso pastel para el mercado. Es la otra cara de la inmigración, la de una nueva clase media». (...) «Convertidos en el objetivo del *marketing*, para los publicistas ya no son inmigrantes, sino "los nuevos residentes". Y buscan rostros andinos para anunciar bancos o clubes de fútbol».

*El Semanal* de ABC (adaptado)

### Se forman grupos:

A: A favor de abrir las fronteras porque es positivo para la economía del país: mayor oferta de mano de obra, aumento del índice de natalidad, potenciales consumidores, etc.

B: En contra de la inmigración no regularizada: produce desestabilización social; el multirracismo crea problemas como el racismo, el multiculturalismo dificulta la integración de los emigrantes, etc.

C: Emigrantes de diferentes procedencias que defienden su derecho a vivir en el país donde su calidad de vida sea más óptima. Abogan por el derecho de libre circulación de los ciudadanos del mundo.

D: Cooperantes en diferentes ONG que entienden que los emigrantes busquen mejorar su calidad de vida trabajando en otros países.

### Prepara tu intervención

- Reflexiona sobre el tema de la inmigración en tu país y compáralo con España.
  Busca ejemplos para ilustrar cada situación.

## Recursos

**Presentar a alguien:** *tenemos el placer de contar con..., me es grato presentarles a...,* + tratamiento académico + nombre y apellidos.

**Rebatir un punto de vista:** *comprendo que... sin embargo, es verdad que..., pero...*

**Interrumpir:** *¿Puedo hacer un inciso/una aclaración/añadir algo?, perdona que te interrumpa, pero...*, etc.

**Ceder el turno de palabra:** *es su turno, tiene usted la palabra, puede intervenir si lo desea*, etc.

## Debate

Cada participante de cada grupo anterior deberá:

- Defender su punto de vista justificando sus argumentos y dando ejemplos.
- Pedir y ceder el turno de palabra.

El moderador:

- Presentará a los participantes y abrirá el mismo con una pregunta.
- Cederá el turno de palabra.
- Abrirá un turno de preguntas al resto de la clase.
- Hará un resumen de lo que se ha dicho antes de cerrar el debate.

# RESUMEN GRAMATICAL

## PERÍFRASIS VERBALES

### PERÍFRASIS VERBALES

- **Perífrasis modales**
  Sirven para expresar la actitud del hablante ante la acción.
  - De obligación: indican que el hablante interpreta la acción como una obligación o necesidad.
    - Deber + infinitivo: *Deberías dormir más.*
    - Tener que + infinitivo: *Tienes que presentarte a las 7 de la tarde.*
    - Hay que + infinitivo: *Hay que pedir permiso.*
    - Haber de + infinitivo: *Hemos de hacerlo entre todos.*
  - **De posibilidad, duda o aproximación:** indican que el hablante interpreta la acción como una posibilidad, una duda, una probabilidad o una aproximación a la realidad.
    - Poder + infinitivo: *Puede llegar a tiempo.*
    - Deber de + infinitivo: *Debe de estar enfadado conmigo.*
    - Venir a + infinitivo/gerundio: *El artículo viene a decir lo que ya sabíamos. El billete sencillo viene costando unos 2 euros.*
- **Perífrasis aspectuales**
  Indican el modo en que es vista la acción por el hablante.
  - **Aspecto imperfectivo:** muestra la acción sin ningún tipo de límites. Al hablante no le preocupa si la acción ha comenzado o si va a terminar en algún momento, lo que importa es ver la acción en su propia duración.
    **Acción en desarrollo**
    - Estar + gerundio: *Está lloviendo todavía.*
    - Andar + gerundio: *Anda preguntando a todo el mundo lo mismo.*
    - Seguir/continuar + gerundio: *Siguió corriendo hasta llegar a la meta.*
    - Seguir/continuar + *sin* + infinitivo: *Sigue sin fumar.*
    - Llevar + gerundio: *Llevo media hora esperando el autobús.*
    - Ir + gerundio: *El enfermo va mejorando notablemente.*
  - **Aspecto perfectivo:** marca claramente algún límite en el que la acción ha cambiado. Muestra que la acción ha comenzado en un momento, que está a punto de comenzar, que sucede en un momento único, que está para acabar, etc.
    **Intención de la acción**
    - Estar a punto de + infinitivo: *Estuvo a punto de ganar el premio.*
    - Ir a + infinitivo: *Voy a entrar en clase.*
    - Estar para + infinitivo: *Estaba para salir cuando me llamaste.*
    - Estar por + infinitivo: *Estoy por ir a verlo.*

**Inicio de la acción**

- Echarse a (*) + infinitivo: *Los niños se echaron a reír.*
- Romper a + infinitivo: *Rompió a llorar en cuanto lo supo.*
- Ponerse a + infinitivo: *Se puso a llover enseguida.*
- Empezar/comenzar a + infinitivo: *Empezó a organizarlo todo en cuanto llegó.*
- Liarse a + infinitivo: *En cuanto llegó, se lió a limpiar la casa.*
- Meterse a + infinitivo: *No os metáis a explicar lo que no sabéis.*
- Soltarse a + infinitivo: *El niño se soltó a andar hace un mes escaso.*

**Resultado de la acción**

- Estar + participio: *El ascensor está arreglado.*
- Llevar + participio: *Lleva publicados cinco libros.*
- Dejar + participio: *Dejó hecho todo su trabajo.*
- Tener + participio: *Tengo terminados todos los ejercicios.*
- Acabar por + infinitivo: *Acabaron por marcharse.*
- Acabar + gerundio: *Acabaron peleándose, como siempre.*
- Salir (**) + gerundio: *Al final todos salimos ganando.*
- Ir + participio: *Ya van publicados cinco libros de la colección.*

**Repetición de la acción**

- Tener + participio: *Te tengo dicho que no contestes así.*
- Volver a + infinitivo: *Quizá vuelvan a intentarlo.*
- Venga a (***) + infinitivo: *Yo hablando contigo y tú venga a ver la tele.*

**Acción terminada**

- Dejar de + infinitivo: *He dejado de fumar.*
- Acabar de + infinitivo: *Acabo de enterarme.*
- Acabar por + infinitivo: *Acabé por comprender lo que quería decirme.*
- Llegar a + infinitivo: *Llegó a tener una gran fortuna.*
- Dar por + participio: *El presidente del consejo dio por finalizada la sesión.*

(*) *Echar a* suele usarse con verbos como *andar, correr, volar* y *echarse a* se usa con *reír, llorar, correr, volar, temblar.*
(**) Se utiliza solo con *ganando* y *perdiendo.*
(***) Es invariable.

# Unidad 10

## COMPRENSIÓN LECTORA

- **Gioconda Belli:** *No me arrepiento de nada*
  - **Más de cerca:** actividades y estrategias de control de la comprensión.
  - **Enriquece tu léxico:** actividades y estrategias de ampliación del vocabulario.

## COMPRENSIÓN AUDITIVA

- **Texto informativo:** *Deporte para todos*
  - Tareas y estrategias de control de la comprensión.

## COMPETENCIA GRAMATICAL

- **Contenidos específicos**
  - La voz pasiva.
- **Contenidos generales**
  - Tiempos y modos verbales.
  - Contraste *ser/estar*.
  - Preposiciones.
  - Completa con los términos adecuados.
- **Algo más**
  - Adverbios en *-mente*.

## EXPRESIÓN E INTERACCIÓN ESCRITAS

- **Escribir una carta publicitaria**
  - Expresar convicción, invitar.
- **Redactar un artículo informativo**
  - *Por una sociedad sin violencia de género*

## EXPRESIÓN E INTERACCIÓN ORALES

- **La lengua nuestra de cada día**
  - Expresiones, refranes y frases hechas.
- **Hablando se entiende la gente**
  - **Debate:** *Medicina alternativa*

## RESUMEN GRAMATICAL

- La voz pasiva.

# Gioconda Belli

VIDA Y OBRA

Managua (Nicaragua), 1948. Se licenció en Publicidad y Periodismo en Filadelfia (EE. UU). Se opuso a la dictadura del general Somoza y desde 1970, año en el que sus poemas aparecieron por primera vez en el semanario cultural del diario *La prensa de ese país*, se integró a las filas del Frente Sandinista de Liberación Nacional.

Se consagra como poetisa con *Sobre la grama* (1974), con el que obtuvo el Premio Mariano Fiallos Gil de la Universidad Autónoma de Nicaragua y en el que recoge su experiencia maternal y doméstica, bienestar burgués y limitaciones de su clase. Cinco años más tarde recibe el prestigioso Premio Casa de las Américas (Cuba) por su libro de poemas *Línea de fuego*.

Su poesía, considerada revolucionaria en su manera de abordar la sensualidad femenina, revela una gran sensibilidad poética.

En 1988, publicó su primera novela, *La mujer habitada*, por la que obtuvo el Premio de Bibliotecas, Editores y Libreros de Alemania. Le siguieron *Sofía de los presagios* (1990) y *El país bajo mi piel* (2001), un testimonio-memoria de sus años en el sandinismo.

El compromiso político y el ser y el sentir femenino son los dos temas fundamentales en una obra que ha contado desde sus comienzos con el respaldo de la crítica y del público.

## No me arrepiento de nada

No me arrepiento de nada.
Desde la mujer que soy
a veces me da por contemplar
aquellas que pude haber sido
5 Las mujeres primorosas
hacendosas, buenas esposas,
dechado de virtudes,
que desearía mi madre.
No sé por qué
10 la vida entera he pasado
rebelándome contra ellas.
Odio sus amenazas en mi cuerpo.
La culpa que sus vidas impecables,
por extraño maleficio,
15 me inspiran.
Reniego de sus buenos oficios,
de los llantos a escondidas del esposo,
del pudor de su desnudez
bajo la planchada y almidonada ropa interior.
20 Estas mujeres, sin embargo,
me miran desde el interior de los espejos,
levantan su dedo acusador
y, a veces, cedo a sus miradas de reproche,
y quiero ganarme la aceptación universal,
25 ser la «niña buena», la «mujer decente»,
ser la Gioconda irreprochable.
Sacarme diez en conducta
con el partido, el estado, las amistades,
mi familia, mis hijos y todos los demás seres
30 que abundantes pueblan este mundo nuestro.
En esta contradicción inevitable
entre lo que debió haber sido y lo que es
he librado numerosas batallas mortales,
batallas a mordiscos de ellas contra mí
35 -ellas habitando en mí queriendo ser yo misma-

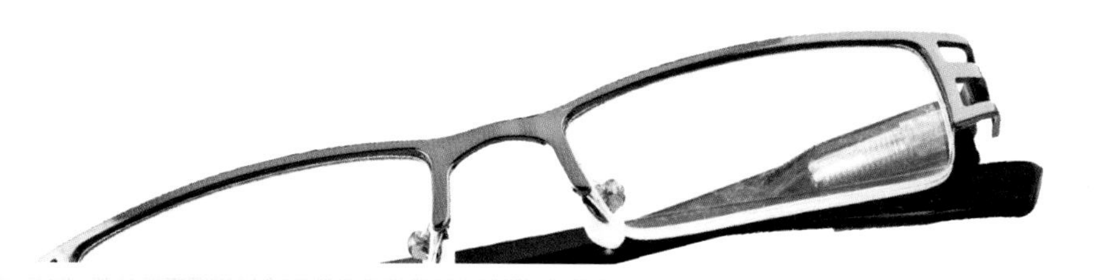

transgrediendo maternos mandamientos,
desgarro dolorida y a trompicones
a las mujeres internas
que, desde la infancia, me retuercen los ojos
porque no quepo en el molde perfecto de sus sueños, 40
porque me atrevo a ser esta loca falible, tierna y vulnerable,
que se enamora como alma en pena
de causas justas, hombres hermosos
y palabras juguetonas.
Porque, de adulta, me atreví a vivir la niñez vedada 45
e hice el amor sobre escritorios
-en horas de oficina-
y rompí lazos inviolables
y me atreví a gozar
el cuerpo sano y sinuoso 50
con que los genes de todos mis ancestros
me dotaron.
No culpo a nadie. Más bien les agradezco los dones.
No me arrepiento de nada, como dijo la Edith Piaf.
Pero en los pozos oscuros en que me hundo 55
cuando, en las mañanas, no más abrir los ojos,
siento las lágrimas pujando,
veo a esas otras mujeres esperando en el vestíbulo
blandiendo condenas contra mi felicidad.
Impertérritas niñas buenas me circundan 60
y danzan sus canciones infantiles contra mí
contra esta mujer
hecha y derecha,
plena.
Esta mujer de pechos en pecho 65
y caderas anchas
que, por mi madre y contra ellas,
me gusta ser.

Belli, G.

## Más de cerca

### 1 Señala si es verdadero (V) o falso (F) según lo que escribe la autora en el texto.

| | V | F |
|---|---|---|
| 1. La protagonista fue como su madre deseaba, por eso la acusan otras mujeres. | ☐ | ☐ |
| 2. Cree que la mujer debe sentir vergüenza de su cuerpo y ocultarse de su esposo. | ☐ | ☐ |
| 3. No fue lo que esperaban de ella y por eso, hasta cierto punto, tiene una lucha interior. | ☐ | ☐ |
| 4. Sentía que el molde no estaba hecho para ella. | ☐ | ☐ |

### 2 Elige la opción correcta.

1. **La protagonista de adulta...**
   a. tuvo el valor de ser ella misma.
   b. disfrutó con los genes de sus antepasados.
   c. se sintió culpable de sus genes.

2. **No se arrepiente de nada...**
   a. pero al despertarse encuentra a unas mujeres llorando que la persiguen.
   b. y está satisfecha de ser como es, a pesar de los deseos de su madre.
   c. por eso se siente feliz de estar derecha.

### 3 Haz un resumen.

▶ Haz un breve resumen de las ideas que expresa Gioconda Belli en este poema.

▶ Comenta si estás de acuerdo con la idea que tiene de la liberación de la mujer.

# COMPRENSIÓN LECTORA

## Enriquece tu léxico

**1** Relaciona las palabras del texto con sus sinónimos.

| | |
|---|---|
| 1. primoroso | a. crítica |
| 2. virtud | b. desobedecer |
| 3. impecable | c. equívoco |
| 4. renegar | d. esmerado |
| 5. pudor | e. talento |
| 6. reproche | f. prohibido |
| 7. contradecir | g. recato |
| 8. transgredir | h. romper |
| 9. desgarrar | i. sagrado |
| 10. molde | j. castidad |
| 11. falible | k. rebatir |
| 12. vulnerable | l. empuñar |
| 13. vedado | m. imperturbable |
| 14. inviolable | n. repudiar |
| 15. sinuoso | ñ. rodear |
| 16. don | o. matriz |
| 17. hundirse | p. débil |
| 18. blandir | q. tortuoso |
| 19. impertérrito | r. sumergirse |
| 20. circundar | s. irreprochable |

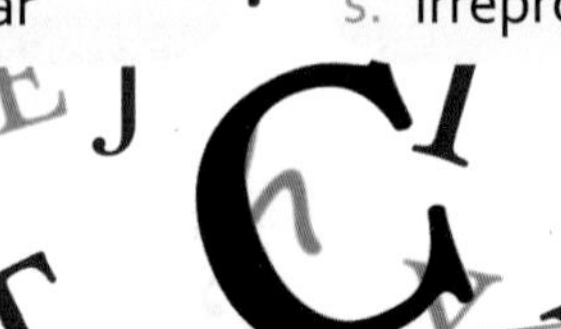

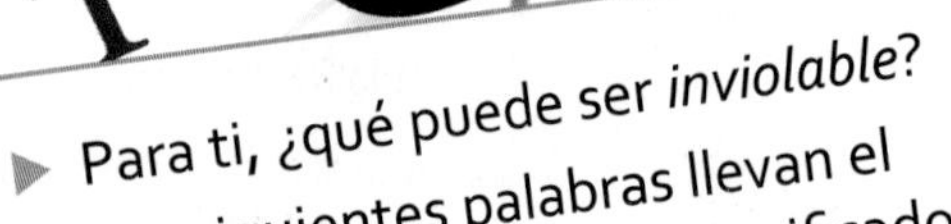

**2** Encuentra el antónimo.

| | |
|---|---|
| 1. hacendoso | a. impudicia |
| 2. virtud | b. rechazar |
| 3. pudor | c. reparar |
| 4. reproche | d. holgazán |
| 5. aceptar | e. ratificar |
| 6. abundante | f. infalible |
| 7. contradecir | g. estirar |
| 8. desgarrar | h. escaso |
| 9. falible | i. alabanza |
| 10. retorcer | j. vicio |

REAL ACADEMIA ESPAÑOLA

Diccionario de la lengua española

**3** ¿Qué sentido tienen estos términos en el texto de Belli? Elige la opción correcta.

**Arrepentirse**

1. prnl. Dicho de una persona: Sentir pesar por haber hecho o haber dejado de hacer algo.
2. prnl. Cambiar de opinión o no ser consecuente con un compromiso.

**Infancia**

1. f. Periodo de la vida humana desde el nacimiento hasta la pubertad.
2. f. Conjunto de los niños.

**¡Y tú?**

- Para ti, ¿qué puede ser *inviolable*?
- Las siguientes palabras llevan el prefijo *in-*, ¿conoces su significado?: *impecable, impertérrito, impune, imperecedero, inamovible, inagotable, inconsciencia, indecoroso*.
- ¿Has presenciado alguna acción *indecorosa* o *impecable*? Descríbela.
- ¿Has actuado alguna vez con *inconsciencia*? ¿Cuándo?

**4** **Completa cada frase con uno de los siguientes términos. Haz las transformaciones necesarias.**

circundar ■ aceptar ■ sinuoso ■ abundante ■ vulnerable ■ inviolable ■ contradecir
impertérrito ■ hacendoso ■ virtud ■ vedado ■ impecable ■ transgredir ■ pudor
molde ■ don ■ blandir ■ desgarrar ■ falible ■ pudor

1. Aunque María es muy buena persona, tiene un gran defecto, siempre que expresas tu opinión sobre algún tema te ............................ .
2. Si estuvieras en mi lugar, ¿............................ un trabajo muy bien remunerado, pero que te deja muy poco tiempo libre o preferirías otro con menos sueldo y un horario más reducido?
3. El camino que tomaremos mañana es muy difícil y ............................, pero no os arrepentiréis porque es de una belleza inigualable.
4. Si en una finca ves un cartel que dice «............................ de caza», tienes que saber que ahí está prohibido cazar.
5. Entre sus ............................ no podemos decir que se encuentra el talento para la música.
6. Aunque la vida nos envíe las más duras pruebas, no debemos ............................ porque la esperanza es lo último que se pierde.
7. La esposa, después de decirle que sabía que tenía una amante, le amenazó con el divorcio, pero él se quedó mirándola ............................, se dio media vuelta y se fue a prepararse un café.
8. Queremos hacer un bizcocho, pero el ............................ del que disponemos es muy pequeño, así que tendremos que comprar otro mayor.
9. En la familia de su marido la aceptaron como una hija más porque entre sus muchas cualidades estaba que era muy ............................ .
10. Su tesis de doctorado sobre Literatura Comparada era ............................, por eso cuando la defendió dejó asombrados a los profesores.
11. Tenía un padre muy agresivo, tanto que, cuando se enfadaba, les amenazaba ............................ el palo de la escoba.
12. La cabaña que construyó mi abuelo estaba ubicada en un valle paradisiaco y la ............................ árboles centenarios.
13. Los buitres esperaban pacientemente a que el animal muriese para después ............................ con voracidad su carne.
14. La Ciencia es ............................ por naturaleza y ese es el motor que la hace avanzar.
15. Todo el mundo cree que la familia Peralta nada en la ............................, pero la verdad es que andan escasos de liquidez.
16. Mi tía me abría las cartas y las leía, tal vez no sabía que la correspondencia es ............................ .
17. El excesivo ............................ femenino se ha ido atenuando con el paso del tiempo, afortunadamente para bien de la mujer.
18. El mítico Aquiles tenía en su cuerpo un punto ............................ que, como todos sabemos, era su talón.
19. La práctica de las ............................ nos hace ser mejores personas.
20. En muchos regímenes políticos, la ............................ de las leyes es duramente castigada.

# COMPRENSIÓN AUDITIVA

# Deporte para todos

Pista 10

Audio descargable en tuaulavirtual www.edelsa.es

**1** Vas a escuchar un texto sobre el deporte. Después, redacta un texto argumentativo (150 palabras) con los puntos principales y expresa, de forma justificada, tu opinión al respecto.

**2** Vuelve a escuchar el texto y elige las tres opciones que mejor lo resumen entre las seis que te damos. Indica en qué orden las dicen.

a. Para un discapacitado, hacer deporte significa aceptar su minusvalía e incluso romper sus propios obstáculos. ☐

b. El deporte paralímpico es uno de los mejores ejemplos de sacrificio y superación por parte de quienes lo practican. ☐

c. Los únicos deportes que se fomentan en televisión son las competiciones de invidentes y personas en sillas de ruedas. ☐

d. Uno de los objetivos del deporte es fomentar la cultura y vivir de forma sana. ☐

e. Siempre han existido alicientes económicos por parte de los medios a la hora de difundir actos deportivos. ☐

f. Cada vez hay más recursos a disposición de los clubes de personas con discapacidad. ☐

**3** ¿Lo has entendido bien? Elige la opción correcta.

**1. En la grabación se afirma que...**

a. el deporte estimula un tipo de vida buen para la salud.

b. a través del deporte adquirimos más cultur

c. el deporte ayuda a promover fronteras cult rales.

**2. Los discapacitados...**

a. se superan mucho más que otros deportista

b. hacen más divertido el deporte que practica

c. con su esfuerzo y deseo de superación nc emocionan.

**3. En la grabación se desea que...**

a. los discapacitados continúen practicando de portes.

b. los Paralímpicos sobrevivan sin tanto e fuerzo.

c. los discapacitados se esfuercen más.

# COMPETENCIA GRAMATICAL

## 1 La voz pasiva

**Transforma las oraciones activas en construcciones pasivas con *ser* y/o *estar*.**

1. Encontraron al ladrón cerca del lugar del robo.
2. El mensajero entregó el paquete puntualmente.
3. Toda la población temía al tirano.
4. Se celebrará una fiesta en su honor.
5. Se vendieron todas las entradas para el concierto.
6. Han despedido al jefe de producción.
7. Después de la catástrofe, han cortado todas las comunicaciones con el exterior.
8. Hace mucho demostraron que la Tierra se mueve alrededor del Sol.
9. Atenderemos todas las quejas lo antes posible.
10. Durante una época sacrificaron mucho ganado para evitar la propagación de la enfermedad.

## 2 Marca la opción correcta.

1. *Es/Está* prohibido fumar aquí.
2. Las paradas de la calle *son/están* encendidas automáticamente en cuanto anochece.
3. Hace unos meses que las obras del puerto ya *son/están* terminadas.
4. Las nuevas oficinas *fueron/estuvieron* construidas hace unos meses.
5. El problema ha *sido/estado* solucionado a tiempo.
6. Me dijeron que el trabajo *sería/estaría* terminado para el lunes.
7. Ha *sido/estado* descubierta una nueva medicina contra el cáncer.
8. El tráfico por ese túnel ha *sido/estado* cortado durante toda la semana debido a los desprendimientos.

## 3 En el lenguaje periodístico se usa mucho la voz pasiva. ¿Cómo le explicarías a un amigo lo que dice este texto sin utilizar la voz pasiva?

En estos momentos hace su entrada el novio. Está acompañado de su madre y madrina y se dirigen al interior del templo, donde son saludados por el capellán. Al entrar la novia, acompañada por su hermano y padrino, es aplaudida por todos los invitados, puestos en pie. La larga cola del vestido de novia es transportada por tres pajes, hijos de su hermano Manuel.

Les recordamos que el vestido ha sido diseñado por el famoso modisto Vicente y que han sido empleados más de 50 m de seda cruda en su confección. Los motivos florales que lo adornan ha sido bordados con hilos de oro y han sido invertidas horas y horas de paciente trabajo. El diseño fue realizado siguiendo indicaciones de la novia y constituía un secreto que ha sido celosamente guardado hasta este día. El velo es sostenido por una diadema que perteneció a la tía abuela del novio –su valor ha sido estimado en 100 000 €– y es el más emotivo de los numerosos regalos de boda que han sido recibidos por la feliz novia.

La ceremonia está siendo transmitida vía satélite y han sido enviados a nuestra capital periodistas de las principales cadenas de televisión de todo el mundo.

Tras la boda, los invitados serán agasajados con el tradicional banquete nupcial, que en esta ocasión va a ser preparado en las cocinas del excelente restaurante Piolín por el afamado chef Paco, y la velada será amenizada por un grupo musical que ha sido contratado especialmente para la ocasión desde Miami.

**4** Indicativo o subjuntivo
**Completa el texto con los tiempos y modos adecuados.**

## De amor y sombra

Atravesaron toda la ciudad, umbrosas calles del barrio alto entre árboles opulentos y mansiones señoriales, la zona gris y ruidosa de la clase media y los anchos cordones de miseria. Mientras el vehículo (*volar*) (1) ..........................., Francisco Leal (*sentir*) (2) ........................... a Irene apoyada en su espalda y (*pensar*) (3) ........................... en ella. La primera vez que la (*ver*) (4) ..........................., once meses antes de esa primavera fatídica, (*creer*) (5) ........................... que (*escapar*) (6) ........................... de un cuento de bucaneros y princesas. Por esos días él (*buscar*) (7) ........................... trabajo fuera de los confines de su profesión. Su consultorio privado (*estar*) (8) ........................... siempre vacío, (*producir*) (9) ........................... mucho gasto y ninguna ganancia. También lo (*suspender*) (10) ........................... de su cargo en la Universidad porque (*cerrar*) (11) ........................... la Escuela de Psicología, considerada un semillero de ideas perniciosas. (*Pasar*) (12) ........................... meses recorriendo liceos, hospitales e industrias sin más resultado que un creciente desánimo, hasta que (*convencerse*) (13) ........................... de que sus años de estudio y su doctorado en el extranjero de nada (*servir*) (14) ........................... en la nueva sociedad. Y no (*ser*) (15) ........................... que de pronto (*resolverse*) (16) ........................... las penurias humanas y el país (*poblarse*) (17) ........................... de gente feliz, sino que los ricos no (*sufrir*) (18) ........................... problemas existenciales y los demás, aunque lo (*necesitar*) (19) ........................... con desesperación, no (*poder*) (20) ........................... pagar el lujo de un tratamiento psicológico. (*Apretar*) (21) ........................... los dientes y (*aguantar*) (22) ........................... callados.

La vida de Francisco Leal, plena de buenos augurios en la adolescencia, al terminar la veintena (*parecer*) (23) ........................... un fracaso a los ojos de cualquier observador imparcial y con mayor razón a los suyos. Por un tiempo (*obtener*) (24) ........................... consuelo y fortaleza de su trabajo en la clandestinidad, pero pronto (*ser*) (25) ........................... indispensable contribuir al presupuesto de la familia. La estrechez en la casa de los Leal (*convertirse*) (26) ........................... en pobreza. (*Mantener*) (27) ........................... el control de sus nervios hasta comprobar que todas las puertas (*parecer*) (28) ........................... cerradas para él; pero una noche (*perder*) (29) ........................... la serenidad y (*desmoronarse*) (30) ........................... en la cocina, donde su madre (*preparar*) (31) ........................... la cena. Al verlo en ese estado, ella (*secarse*) (32) ........................... las manos en el delantal, (*retirar*) (33) ........................... la salsa de la hornilla y lo (*abrazar*) (34) ........................... como (*hacer*) (35) ........................... cuando (*ser*) (36) ........................... muchacho.

Allende, I.: *De amor y sombra* (adaptado)

**5** *¿Ser o estar?*
**Completa con *ser* o *estar* en el tiempo y modo adecuados.**

## La resurección de la rosa

Amiga pasajera: voy a contarte un cuento. Un hombre tenía una rosa; (1) ........................... una rosa que le había brotado del corazón. ¡Imagínese usted si la vería como un tesoro, si la cuidaría con afecto, si (2) ........................... para él adorable y valiosa la tierna y querida flor! ¡Prodigio de Dios! La rosa (3) ........................... también un pájaro; parlaba dulcemente, y, a veces, su perfume (4) ........................... tan inefable y conmovedor, como si (5) ........................... la emanación mágica y dulce de una estrella que tuviera aroma.

Un día, el ángel Azrael pasó por la casa del hombre feliz, y fijó sus pupilas en la flor. La pobrecita tembló y comenzó a padecer y a (6) ............................ triste, porque el ángel Azrael (7) ............................ el pálido e implacable mensajero de la muerte. La flor desfalleciente, ya casi sin aliento y sin vida, llenó de angustia al que en ella miraba su dicha. El hombre se volvió hacia el buen Dios, y le dijo:

–Señor: ¿para qué me quieres quitar la flor que nos diste?

Y brilló en sus ojos una lágrima.

Conmoviéndose el bondadoso Padre, por virtud de la lágrima paternal, dijo estas palabras:

–Azrael, deja vivir esa rosa. Toma, si quieres, cualquiera de las de mi jardín azul.

La rosa recobró el encanto de la vida. Y ese día, un astrónomo vio, desde su observatorio, que se apagaba una estrella en el cielo.

Darío, R.: *La resurrección de la rosa* (adaptado)

## 6 Preposiciones

**Completa con la preposición que falta.**

1. Si queremos competir .............. las firmas rivales, tendremos que hacer una buena campaña de *marketing*.
2. Les ruego que se abstengan .............. fumar en el autobús.
3. A pesar de todo lo que ha pasado, nosotros seguimos siendo fieles .............. nuestras creencias.
4. El señor Ramírez llegó a la recepción .............. su esposa.
5. Si vas a por el periódico, .............. paso cómprame la revista *Cocinar es fácil*.
6. El restaurante estaba .............. los topes, así que decidimos irnos a casa y pedir unas *pizzas*.
7. No tenemos una idea concreta del viaje, lo decidiremos .............. la marcha.
8. El doctor le dijo a mi padre que no se preocupara por nada, pues gozaba de una salud .............. hierro.
9. Cuando ya no lo esperaba, le designaron .............. el cargo de director general.
10. Dejaron de hablarse .............. la pelea que tuvieron la causa de la herencia del abuelo.
11. Mira, .............. este tema no quiero seguir discutiendo, seguro que no nos pondremos de acuerdo.
12. Dejó dicho que .............. su funeral pusieran música de Bach.
13. No leas en voz alta, lee .............., si no, no me puedo concentrar.
14. .............. mi punto de vista, no creo que hayan obrado correctamente.
15. No puedo comprender cómo hay gente que puede vivir así .............. televisión.

Algo más

## Adverbios en -*mente*

- Puede modificar el significado de un verbo, de un adjetivo o de otro adverbio.
- En las series de adverbios *-mente* aparecerá en el último: *camina lenta y torpemente.*

**Valores**

- Expresan frecuencia: *habitualmente, constantemente, continuamente, raramente, aisladamente, anualmente, diariamente, mensualmente, cotidianamente, esporádicamente, momentáneamente,* etc.
- Expresan el tiempo: *actualmente* (=en la actualidad), *anteriormente, previamente, antiguamente, posteriormente, ulteriormente, recientemente, seguidamente* (=a continuación), *simultáneamente, nuevamente,* etc.
- Expresan el grado de certeza: *posiblemente, probablemente, seguramente, indudablemente, ciertamente, definitivamente* (=con certeza), *aparentemente* (=en apariencia), *obviamente,* etc.
- Para graduar: *altamente, ampliamente, excesivamente, plenamente, enormemente, infinitamente, sumamente, notablemente, sensiblemente, evidentemente, puramente, relativamente, parcialmente* (=en parte), *mínimamente,* etc.
- Otros: *principalmente* (=sobre todo), *básicamente, particularmente* (=en especial), *prácticamente* (=casi), *buenamente* (=sin esforzarse de manera excesiva), *felizmente, lamentablemente, súbitamente, repentinamente, humanamente* (=según la posibilidad de capacidad de los seres humanos), *debidamente* (=como es debido), *deliberadamente* (=a propósito), *voluntariamente, personalmente, precisamente, originariamente,* etc.

## 7 Adverbios terminados en -*mente*

**¿Qué adverbio terminado en -*mente* elegirías para completar las siguientes frases? Hay varias posibilidades.**

1. Quédese tranquilo, que haremos todo lo ............................ posible para ayudarle.
2. Yo no creo que lo haya hecho ............................ . Seguro que ha sido sin querer.
3. No pude contarlos a todos, pero creo que habría ............................ cien personas en la sala.
4. Se levantó y se marchó de la fiesta ............................ . Nos quedamos todos sorprendidos.
5. ............................ preferiría vivir en un lugar más tranquilo, aunque el centro tiene sus ventajas y los chicos lo prefieren.
6. Envíenos por fax o correo electrónico los impresos ............................ cumplimentados.
7. En caso de contestar ............................ a nuestra propuesta, comuníquenoslo antes del día veinte del corriente mes.
8. Tú haz lo que ............................ puedas y quédate con la conciencia tranquila.
9. ............................, tiene usted razón. Ha habido un error y le pedimos disculpas.
10. Ese libro se ha publicado muy ............................ y todavía no lo tenemos en nuestra librería, pero podemos encargárselo.
11. Tengo la tesis ............................ terminada. Solo me quedan unas correcciones mínimas que hacer.
12. ............................ estaba tranquilo, pero supongo que por dentro estaría aún más preocupado que nosotros.
13. Te dije que ............................ vendría y no que venía seguro. No es lo mismo.
14. Se quedó ............................ sin respiración... Menos mal que se recuperó enseguida.
15. Sé que ............................ habían discutido, pero no puedo decirle qué pasó a continuación.
16. Tengo prisa, ya hablaremos más ............................ del tema en otra ocasión.
17. Se levantó y se marchó de la fiesta ............................ .
18. ............................ ya están cubiertas todas las plazas.
19. Las causas del conflicto fueron ............................ económicas.
20. Dirá unas palabras de bienvenida y ............................ pasaremos a la recepción.

## 8 Con las siguientes palabras forma el adverbio terminado en -*mente*. ¿Qué valor expresa?

1. Triste ............................
2. Delicado ............................
3. Peligroso ............................
4. Violento ............................
5. Cálido ............................
6. Hábil ............................
7. Objetivo ............................
8. Ortográfico ............................
9. Casual ............................
10. Principal ............................
11. Frecuente ............................
12. Corriente ............................
13. Seguido ............................
14. Simple ............................
15. Especial ............................
16. Desafortunado ............................

## Antes de nada

### Estilos

Existen diferentes estilos a la hora de distribuir el texto:

▶ Estilo bloque: cada línea se escribe desde el margen izquierdo.

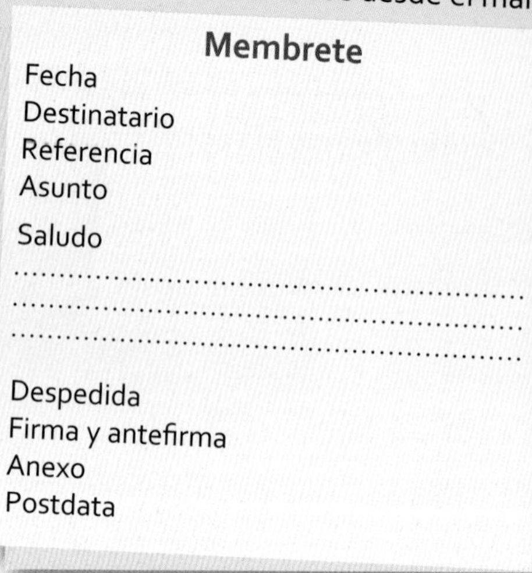

**Membrete**

Fecha
Destinatario
Referencia
Asunto
Saludo
.............................................
.............................................
.............................................
Despedida
Firma y antefirma
Anexo
Postdata

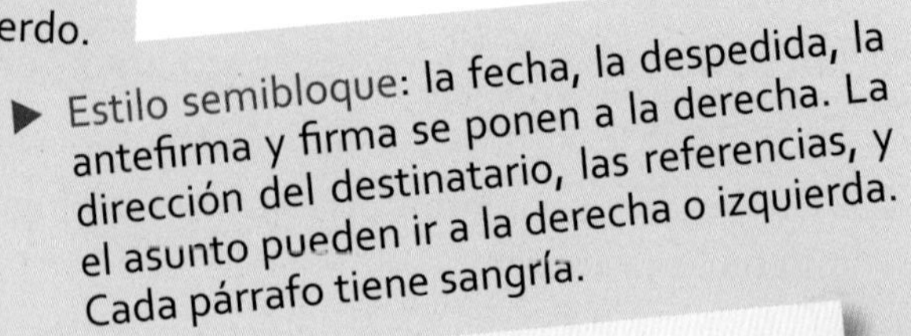

▶ Estilo semibloque: la fecha, la despedida, la antefirma y firma se ponen a la derecha. La dirección del destinatario, las referencias, y el asunto pueden ir a la derecha o izquierda. Cada párrafo tiene sangría.

**Membrete**

Fecha

Destinatario

Referencia
Asunto

Saludo
.............................................
.............................................
.............................................

Despedida
Firma y antefirma

Anexo
Postdata

## ¡Bienvenidos a todos!

### Redacta un folleto publicitario

▶ Has conseguido uno de tus sueños: inaugurar una tienda de ropa especializada en la venta de tallas especiales. Redacta una carta a modo de folleto publicitario en la que tienes que:

- ▶ Presentar el producto.
- ▶ Hablar de la calidad y otras características importantes de las prendas.
- ▶ Expresar tu convencimiento de la buena acogida que tendrá el negocio.
- ▶ Invitar a los destinatarios a un pase de modelos el día de la inauguración.

## Recursos

**Expresar convicción**

*Estoy totalmente convencido...*
*No me cabe la menor duda de que...*
*Tengo el convencimiento de que...*
*Sin lugar a dudas...*

**Invitar**

*Tengo el gusto de...*
*Tengo el placer de...*
*Nos complacemos en...*
*Nos gustaría contar con...*

**Expresiones útiles**

*Elegante, atractivo, selecto, idóneo,* etc.
*Amplia gama, gran variedad, extensa selección,* etc.
*Precios asequibles, increíbles, competitivos, pensados para Ud.,* etc.
*Satisfacer las expectativas, responder a las necesidades,* etc.

# Por una sociedad sin violencia de género

«Los tiempos en que el hombre apaleaba a una mujer y la denuncia se aparcaba son del pasado».

Hernández J. A., *El País*

**Mira por sus ojos y verás su sufrimiento.**

**Vivir de otra forma es posible.**

**El mundo es más grande que un puño cerrado.**

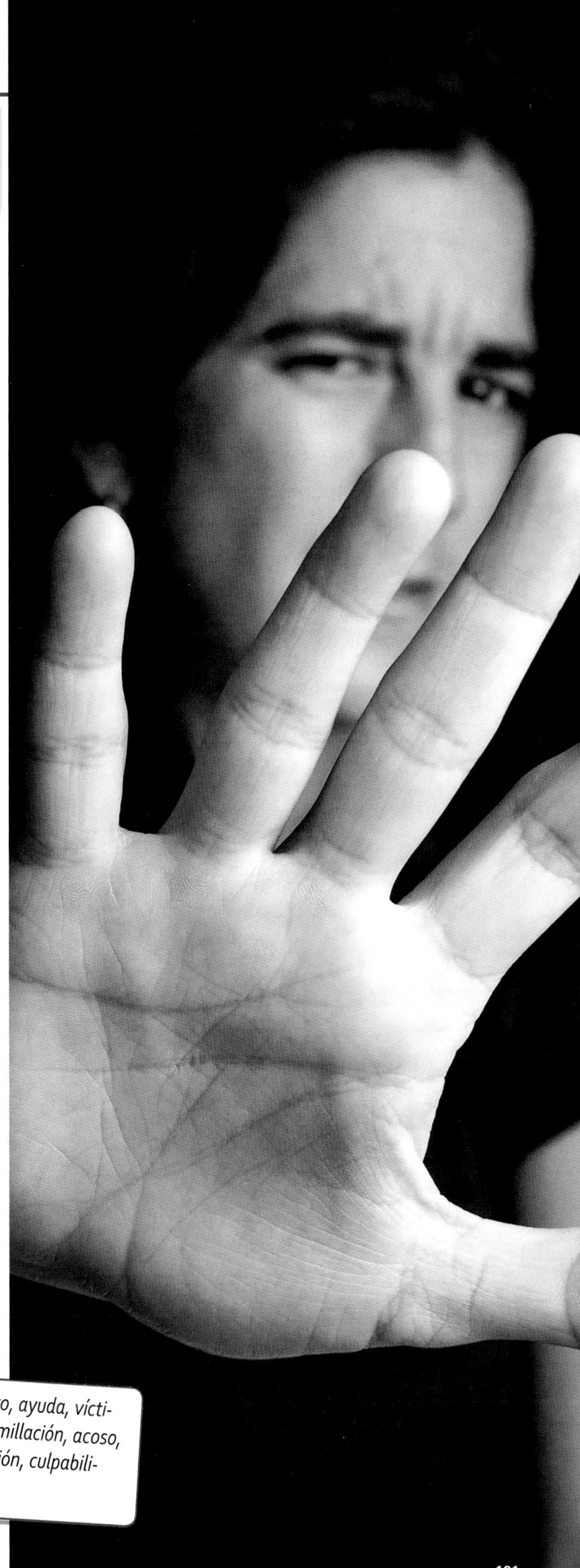

## edacta un artículo informativo

- Haz una lluvia de ideas sobre las siguientes cuestiones:
  - ¿Violencia doméstica o sociedad violenta?
  - Gravedad del problema.
  - Posibles causas del alarmante aumento de casos.
  - Consejos para las mujeres víctimas de la violencia doméstica y para las personas de su entorno.
  - Otros posibles casos de violencia en el hogar.
- Ordena tus ideas y redacta un artículo informativo para un periódico local sobre las cuestiones anteriores. (150-200 palabras).

## Recursos

**Verbos:** *maltratar, soportar, agredir, amenazar, proteger, denunciar, luchar, exigir, garantizar, etc.*

**Sustantivos:** *apoyo, ayuda, víctima, vejaciones, humillación, acoso, incapacidad, sumisión, culpabilidad, agresor, etc.*

# EXPRESIÓN E INTERACCIÓN ORALES

# La lengua nuestra de cada día

## Cada oveja con su pareja

**1** Relaciona las expresiones con su definición.

1. En todas partes cuecen habas.
2. Estar manga por hombro.
3. Ser pájaro de mal agüero.
4. Cumplir algo a rajatabla.
5. Hacer la vista gorda.

a. Estar algo desordenado.
b. Las debilidades humanas se hallan en todas partes.
c. Persona que presagia sucesos desagradables.
d. Con todo rigor, de manera absoluta.
e. Fingir no haber visto algo.

## Un paso más

**2** Completa con una de las expresiones anteriores.

1. El profesor se dio cuenta de que estábamos copiando en el examen, pero .......................................... y una semana después nos examinó oralmente.
2. María piensa que solo en su país hay violencia, pero la que verdad es que .......................................... .
3. En su despacho no puedes encontrar nada, está todo .......................................... .
4. En la dieta de adelgazamiento que estoy llevando tengo que .......................................... todas las indicaciones, si no, no funciona.

## ¿A que no sabes?

**3** Fíjate lo que cuenta Carolina sobre su experiencia compartiendo piso y elige el sentido adecuado a las expresiones marcadas.

1. Uno de los problemas de compartir piso es que a veces tienes que *hacer la vista gorda* para no provocar enfados.
   a. no decir nada b. tener paciencia c. fingir no haber visto algo
2. Algunas veces llego a casa con ganas de tumbarme en el sillón, pero al abrir la puerta me doy cuenta de que no puedo hacerlo porque *está manga por hombro* y ¡claro!, hay que recoger, aunque solo sea un poco.
   a. está desordenado b. está la ropa por el suelo c. está la mesa sin poner
3. En fin, que estoy un poco cansada de vivir siempre con personas desordenadas. Creo que uno de estos días voy a tener que tomar medidas que van a tener que *cumplir a rajatabla* y ¡van a ver!
   a. obedecer al pie de la letra b. respetar sin protestar c. medir lo que dicen y hacen

# Hablando se entiende la gente

## Medicina alternativa

«La palabra mágica es "terapia". Basta con añadirle términos como "ozono", "reflexo", "pseudofisio"... para obtener alguna de las llamadas *medicinas alternativas*. [...] Algunas, como la hidrología, están admitidas oficialmente y otras, como la acupuntura, la homeopatía, la fitoterapia o el quiromasaje son fiables, según aseguran la mayoría de los expertos».

«Sin embargo, las medicinas alternativas tienen muchos detractores, y es que curar, lo que se dice curar, son pocas las que consiguen hacerlo. Por eso desde la medicina convencional se escuchan múltiples acusaciones contra la mayoría de ellas: "tratan síntomas en lugar de causas", "en realidad, son inocuas", "precios elevados", "existencia de charlatanes"»...

Barberá, J. M. (adaptado)

«[...] En el caso de la homeopatía, aparte de que maneja conceptos empíricos diferentes a los conseguidos a través de la historia de la medicina [...] es imprescindible someterla al contraste que demuestre su verdadera eficacia. Es decir [...] moverse en el terreno del procedimiento científico [...]. Lo cierto es que si analizamos con ojo crítico las escasísimas referencias de la literatura científica internacional, en ninguna de ellas se concluye que la homeopatía pueda ser una alternativa a la medicina tradicional».

Vivas, E. y Pelta, R.: *Los 100 mitos de la salud*

### Intervienen

**A:** Defensores de la medicina alternativa porque han acudido a ella y han obtenido resultados positivos. Creen que la medicina tradicional no es la única.

**B:** Defensores de la medicina tradicional. Argumentan que los usuarios de la medicina alternativa recurren a la tradicional cuando su enfermedad es seria.

**C:** Especialistas que opinan que estos dos tipos de medicina pueden complementarse.

**D:** Personas que piensan que es fácil caer en manos de charlatanes y nunca recurrirían a medicina alternativa.

Un moderador.

### Prepara tu intervención

- Infórmate sobre las medicinas alternativas.
  www. medicina21.com/www.sindioses.org/www.cancer.gov/www.femalt.com
- ¿Estás de acuerdo con lo que has leído? Reflexiona sobre el tema y anota tus ideas.
- Elige un grupo para desempeñar un papel en el debate.

### Debate

- Cada grupo defenderá su postura argumentando a favor o en contra de este tipo de medicinas.
  Se hará especial hincapié en:
  - Pedir la palabra.
  - Interrumpir.
  - Dar o pedir aclaraciones.
  - Lanzar preguntas abiertas.

# RESUMEN GRAMATICAL

## LA VOZ PASIVA

### LA VOZ PASIVA

- En la voz activa se pone énfasis en el sujeto de la acción:
  *El representante del artista preparaba la rueda de prensa para media tarde.*
- En la voz pasiva se pone énfasis en el objeto de la acción que además va introducido por la preposición *por*:
  *La rueda de prensa era preparada por el representante del artista para media tarde.*

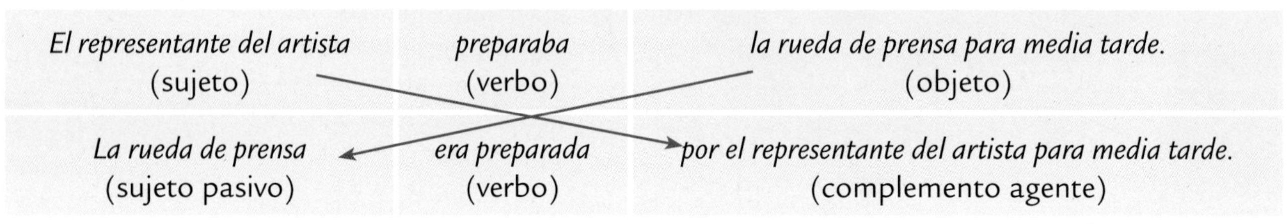


- **La voz pasiva con *ser*** + participio
  - Se usa para marcar una acción en proceso:
    *La rueda de prensa era preparada por el representante del artista.*
  - Su uso es frecuente en el lenguaje periodístico o en textos didácticos y no tanto en el lenguaje cotidiano.
- **La voz pasiva con *estar*** + participio
  - Se usa para marcar el resultado de una acción anterior:
    *La rueda de prensa estaba preparada a media tarde.* (= ya la habían preparado)
  - En estas construcciones no puede aparecer el complemento agente («por el representante»), a no ser en frases del tipo:
    *La ciudad está rodeada por/de montañas.*
  - Con algunos verbos, en lugar del participio se usa un adjetivo: *ha sido limpiada > está limpia.*
- **La pasiva refleja**
  - Con objeto no persona: se usa la voz pasiva refleja (*se* + el verbo en 3.ª persona del singular o plural) para expresar aquellas acciones en las que no hay un agente específico.
    *Se habla español/Se venden bicicletas.*
  - Con objeto persona: se usa la *a* personal y el verbo en 3.ª persona del singular cuando el receptor es un sujeto personal singular o plural.
    *Se ve a la gente/Desde aquí se ve a las personas.*
- **No se usa la voz pasiva**
  - Si el verbo principal es un verbo de percepción o emoción.
    Ejemplos de verbos de este tipo son: *escuchar, odiar, oír, querer, sentir, temer y ver.*
    No es correcto: *María fue odiada por Carlos.*
  - La voz pasiva con el verbo *ser* no se emplea en una construcción en la que aparece un tiempo progresivo.
    No es correcto: *El libro estaba siendo leído por Juan.*
  - Cuando hay un objeto indirecto, no se puede formar la voz pasiva con *ser*.
    No es correcto: *El regalo fue comprado a Isabel por su hermana.*